いくつになっても「好かれる人」の理由

斎藤茂太

祥伝社黄金文庫

『一笑一若　一怒一老』改題

はじめに

人間いくつになっても、人間関係が人生の基本です。いい人間関係が保たれている人は、いつもイキイキとしていて、毎日の生活にも張りがあり、人生を愉《たの》しんでいるという様子がありありとうかがえます。人にも好かれる面をいくつか持っているものです。

一方、人間関係がギクシャクとしている人は、心に余裕がなく、どこかしら表情もこわばっていて、人からも遠ざかる傾向があるようです。これでは毎日が面白くありません。結果として表情も暗くなりがちですから、人に好かれることも難しくなります。

できるだけいい人間関係を保持しながら、毎日をイキイキと過ごし、そして自分らしく生きるためのコツを、私はこの本で書きました。

あなたの周りにも魅力的な人というのは、きっと何人かはいるでしょう。そんな人は具体的にはどんな人でしょうか。

好奇心は旺盛《おうせい》ですか、遊び心は持ってますか、よく笑いませんか、女性なら笑顔が美しい人ではありませんか、男性でもおしゃれな人ではありませんか、没頭できる趣味を持っていませんか、病気があっても元気ではないですか、友だちと旅行などして愉しんでいませんか。

魅力的な人というのは、やはりなにかしらの共通項がある、というのが私の偽《いつわ》らざる実感です。人間的魅力を感じさせる人は、決まって人にも好かれるものです。別の言い方をすれば、人に好かれる人は、人間的魅力を持ち合わせている人です。

ところで、私が日頃、ときどき口にしている言葉に、「一笑一若《いっしょういちじゃく》、一怒一老《いちどいちろう》」という、なにやら中国の格言めいたものがあります。一回笑えば一歳若返り、一回怒れば一歳老いる、という文字通りの意味です。

このことは、人に好かれる理由のひとつとして本文でも触れますが、実はこれは、私の人生経験から自然に紡《つむ》ぎ出されてきた言葉です。今では自分で勝手につくったこのことばが、それほど間違ってはいない、という実感があります。「生薬《しょうやく》」もいいですが、こちらの「笑薬《しょうやく》」は実によく効きます。それに副作用もまったくありませんし。この本では、こうした私の経験則から引き出した知恵をたくさん紹介します。

決して人様のお手本になるような生き方をしてきたわけではないと思っている私が、八十八歳の米寿《べいじゅ》に達した今、自分の人生をまあまあだと納得しているのには、多少のわけがないわけではありません。

私としては、思ってもみないことなのですが、講演会の席などで、ときどき「斎藤さんは生き方の名人ですね。きっと周りの人たちにも好かれるでしょう」と言われることがあります。そのたびに苦笑することしばしばなのですが、自分ではそんなふうに意識したことは少しもなく、むしろ自分はかなり難しい人生を歩んできたな、という気持ちのほうがずっと強いのです。

しかし、米寿に達した今、人生をできるだけ愉しく生きようと考えていることは、確かに本当です。多分に私は生き方に欲張りなのでしょう。私のその欲張りな生き方のエキスだけを整理したのが本書です。しかし完璧を目指してはいけません。「ほどほど」がベストなのです。さしずめ私なら六〇％でよしとします。

私が本書で紹介したいくつかのことを実践していただければ、少なくとも私程度の人間にはなれるはずです。そしてその結果、意外にも周りの人から好意を寄せられることがあるでしょう。身の回りの小さなことから始めるのがスタートの第一歩です。

二〇〇五年三月

斎《さい》藤《とう》茂《しげ》太《た》

目次

はじめに　3

第1章　好奇心を大事にする……13

「老年快感」への助走路に立って　14
老年人生は六〇％主義がちょうどいい　18
私が長大な『鉄道唱歌』の暗唱にチャレンジした理由　20
「快老」とはいつも前向きに生きること　24
私はなぜ七十歳で大引っ越しをしたか　29
「老成」という考え方を捨てよ　33

第2章　「数病息災」で長生きする……………………39
老いても人手を借りない考え方と行動　40
健康の秘訣は病気体験を生かすこと　44
誰があなたを寝たきり老人にさせるのか　48
夢が見えてきた、理想の老人病院の誕生　53
こんな老人病院に入ってみたい　57
患者が医師や看護婦にＮｏ！といえる病院　60
酒をやめるか、タバコをやめるか──私の場合　64
自らの人体実験で健康管理　70
トイレと風呂場にご用心　72
不老不死の時代がくる日　74
どう生きるかは、どう死ぬかを考えること　77

第3章 「遊び心」で人生を愉《たの》しむ……81

年間五〇〇時間の勉強で、ゼロから一人前になれる 82
老人性うつ病を疑うとき 86
本心でのめり込めるものがあれば、うつ病を寄せつけない 89
老年を豊かにする遊び心の三つの条件 93
ユーモア・センスのある人は人生に得をする 96
もう一つ別のユーモア・センスの磨き方 100
「一笑一若、一怒一老」で開けっぴろげに生きるヒント 105

第4章 メモの習慣で衰える脳細胞を活性化する……109

メモをとるだけで心が落ち着く不思議 110
生きがいにつながる好奇心の育て方 113

米寿をこえた私がボケない理由　116
一度やったらやめられない、統計をとる面白さ　119
夢を持ち続けると長生きする理由　122
「慣れず、甘えず、流されず」の行動哲学　126

第5章　死ぬまでつき合える友を持つ……129

老後の備えは「貯友」にあり　130
手っ取り早く友を増やす方法　134
サークル見学ツアーのすすめ　137
嫌な人とはどうつき合うか　140
初対面の人との失敗しない接し方　143
年をとっても恋心を忘れない　145

第6章　行きたいところに旅をする……149
旅好き人間がボケない理由　150
八十歳でエベレスト登頂を試みた母・輝子《てるこ》のバイタリティー　154
母の総旅行距離は月へ二往復の百四十三万キロメートル　157
「トラベルはトラブル」を愉しむ心意気　160
目的・目標のある旅を設定する　164
船旅のすすめ　167
第7章　ひとりのときでもおしゃれを愉しむ……171
おしゃれはボケ防止の特効薬　172
七十歳を過ぎたらベストドレッサーを目指そう　176
船旅を面白くするドレスコード　179

変身願望とファッション　182
面倒がる自分とどう訣別《けつべつ》するか　184

第8章　いつも「感じる人」でいたい……189

ものごとに感動する人間であり続ける　190
感動の扉を開こう　193
「ありがとう」の言葉を忘れない　196
妻への感謝状と、妻から贈られたトロフィー　200
音楽や詩歌の世界に浸る　203
生命の息吹を感じよ　206
「怒哀」は捨てて「喜楽」を感じよ　210
おわりに――昨日と違う今日を生きよう　213

編集協力　未来工房

第1章　好奇心を大事にする

「老年快感」への助走路に立って

「老いるとはなんと素晴らしいことなのか」

年を重ねるたびに、そう感じることができたら、これほど嬉《うれ》しいことはありません。老いを迎えるということは、仕事や子育てなど、社会人としての責任をすべて果たし、もはや社会のさまざまな規則に縛られることもなければ、煩《わずら》わしい人間関係からも解放されるのですから、考えようによっては「素晴らしい」と思う人がたくさんいても不思議ではありません。

今どきの若者ではありませんが、「やなら、やめればあ……」といった、現役では無責任と言われるような生き方さえ愉《たの》しむこともできるのです。私の知人にも、「やりたいことが何でもできる。まるで学生時代に戻ったような気分だ」と喜んでいる人がいますが、彼はきっと、学生時代にあまり勉強しなかったに違いありません。なぜなら学生にはやはり勉強がありますし、これから社会に出るという使命があります。

しかし、老いを迎える者にはそれはありません。後はあの世に行くだけなのですから、学生よりもずっと気楽です。かりに六十歳で会社をリタイアしたとすれば、残された人生は男性で、平均的に見て二十年近くもあります。この二十年がどんなに長いかは、あなたが二十年前にはどんなことをしていたかを思い浮かべてみればわかるはずです。それだけの期間を、面倒なしがらみから解放されて自由に生きることができるのですから、やはり、老いるとは素晴らしいことです。もっともこの素晴らしい人生の後半は、誰にでも平等に訪れるものではないようです。

「美しく死ぬことは簡単だ。だが美しく年をとることは至難の業《わざ》だ」

と言ったのはフランスの作家・アンドレ・ジイドですが、確かに美しく死ぬことは簡単です。周囲の人たちが手助けしてくれます。恵まれた人生でなかった人も、それなりの人生に仕立て上げてくれます。

しかし美しく老いるためには、また老いることは素晴らしいことだと実感するためには、本人自身がそうなるように努めなくてはなりません。ただ待っているだけでは手をかしてくれる人はいません。自分自身で愉しく生きよう、素晴らしい人生にしようと、強く望んで努力している人のところにしか、素晴らしい老後は訪れてくれません。

私はすでに八十八歳の米寿を超えましたが、人生に欲張りなのでしょうか、まだまだ愉しく生きたいと思い、そのために私なりの心構えを自分に課しています。もっとも至難の業というほど大それたことではありませんし、その気にさえなれば誰にでも実践できる簡単なことばかりです。たとえば、「好奇心」を持ち続ける、「数病息災」で病気とつき合う、本業以外の「趣味」を持つ……など、その詳細はこれから徐々に述べていきますが、ごくあたり前のことにすぎません。しかし、このあたり前のことがとても大事なのです。

ところが現実には、このあたり前のことを忘れている高齢の人が少なくありません。「子どもじゃあるまいし、いまさら好奇心なんて……」と、いわば達観の境地をよしとする高齢者もいます。あるいは、「趣味を持てと言われても、仕事一筋で生きてきましたし……」と、戸惑う人たちも少なくありません。こんな人たちの多くは、素晴らしい老後どころか、人生の目標を見失い、孤独で暗い日々を過ごすことになるのです。

なかには「老人性うつ病」などで私どもの病院を訪れる人もいれば、一年中からだの不調を訴えては病院通いを趣味のようにして、寝たきり老人への道を足早に歩んでいる人もいます。実にもったいないことです。私がこの本を書く気になったのも、そんな人たちが極めて多いためです。老いることを嘆くのではなく、老いることの素晴らしさを実感する。ちょっとした心構えでそれができるのです。

病気や事故で命を落とすこともなく、会社のリタイアまで生き永らえてきた人たちにとってリタイア後の人生は、そんな自分へのご褒美《ほうび》ではないでしょうか。

「今までよく頑張ってきた。これからの人生はせっかく授かった命を大切にし、自分自身のために愉しく明るく生きていこうよ」

まずは自分自身に、こう言い聞かせてはどうでしょうか。

老年人生は六〇%主義がちょうどいい

「人生を愉しく生きるには、八十点主義がちょうどいい」

私は従来からこう考え、自分の著書や講演などでも語ってきました。精神科医という商売がら数多くのトラブルに接し、夫婦、兄弟、教師と生徒、上司と部下などのトラブルの原因のほとんどが、相手に完全を求めることにあることを、知っているためです。また私どもの病院を訪れる人のなかには、自分自身に完全を求める完璧主義の人が少なくありません。

完全を求めれば、それだけ不満も大きくなります。その不満を相手にぶつけてトラブルを起こしたり、自分自身が不満に負けて、精神に障害をきたすのです。ですから何ごとにも完全は求めずに、八〇%程度でよしとする生き方を実践し、おすすめもしたわけです。

しかし最近では、八十点などと欲張らず、六十点ぐらいがちょうどいいのでは、と思うようになっています。八十点となると、やはり日本人特有のガンバリズムが必要になりますが、六十点ならそんな無理もなく、年齢相応の自分の歩調に合わせて生きることができるためです。

しかも私の年齢になれば、脳細胞のほぼ四〇%は死滅しています。つい先日も、わが家の電話番号がどうしても出てきません。人の名前もすぐに忘れてしまいます。どうしても思い出せずに、五分か一〇分ほどして、もう諦《あきら》めかけたときにふっと浮かんでくるのです。こんなことはしばしばありますし、メガネを置いた場所を忘れて家中探し歩くこともあります。家内に、

「メガネならかけてるじゃありませんか」

と言われて、「ああそうか」となる。四〇%もの脳細胞が死滅しているのですから、これは仕方のないことです。こんな状況ですから、八〇%を求めるにはすこし無理がありますす。何とか活動している脳細胞が六〇%なのだから、何ごとも六〇%でよしとする。そのほうがずっと楽なのです。

仏教に「小欲知足」という言葉があります。欲望を小さくして足るを知る。欲望が小さいほど、容易に満足できるという意味です。人に求めるのも六〇%、自分にも六〇%、愉しく生きるには、このぐらいでちょうどいいと思っています。

私が長大な『鉄道唱歌』の暗唱にチャレンジした理由

「脳細胞がどんどん死滅しているのだから、物忘れがひどくなるのはあたり前のこと」と、年相応の老いを認識することは大切で、この認識のできない人が私どもの病院を訪れることになります。

しかし、認識はしても老いに甘えてはいけません。「年だから仕方がない」との甘えは、老化をどんどん早める老化促進剤になってしまいます。

私がまだ若い頃、今なら新聞やテレビで報道され、大騒ぎになるようなある患者さんを受け持ちました。大学生ぐらいの青年なのですが、歩くこともできなければ立つこともできません。しかも歯が一本もないのです。こういうと生まれながらの難病かと思われるかもしれませんが、五体満足に生まれ、病気でもありません。

実はこの青年をこんな姿にしてしまった犯人は、母親だったのです。その青年は次男ですが、長男が満一歳ぐらいのとき風邪をこじらせて肺炎を起こし、亡くなってしまったのです。母親のショックは想像を絶するもので、次男が生まれたとき、病気はもちろんのこと、風邪さえ絶対にひかせてはいけないと考えました。

家の外には風邪のばい菌がたくさんいますから、子どもは外出させず、果てはおなかをこわすといけないからと流動食を与え続けたのです。その結果、私が診たときには、書生さんが抱っこしてトイレに連れていき、お風呂に入れてやるという、まるで寝たきり老人のような状態でした。

これを整形外科の言葉では、廃用性萎縮《いしゅく》といいます。外に出さないために歩くのはせいぜい家のなかだけなので、足はどんどん退化して痩《や》せ細り、流動食ばかりで嚙《か》む必要がないために歯は抜け落ちて、いずれもその機能を失ってしまったのです。

このように頭もからだも精神も、使わないとどんどん衰えていきます。日本に寝たきり老人が多いのは、このことを認識していない人たちが多いためです。私の年になると、風邪などで一週間も寝込んでしまうと、それだけで歩く能力がかなり衰えてしまいます。また自宅では普通の食事をしていたのに、入院先の病院では流動食で、それを契機に流動食しか食べられなくなる患者さんもいます。

つまり寝たきり老人も、一種の廃用性萎縮なのです。からだばかりでなく頭も同じで、使わなければどんどん衰えていきます。これを防ぐには、物忘れがひどくなったことは認識しながらも、それに甘えず、どんどん脳細胞を使うことです。何かを覚える努力をしなければいけません。そこで私がいまチャレンジしているのが、『鉄道唱歌』の暗唱です。「汽笛一声新橋《しんばし》を　はや我汽車は離れたり　愛宕《あたご》の山に入りのこる……」と始まって、ほぼ四〇〇番まであり、これをノートなどに写して覚えようとしているのですが、これが片っ端から、みごとなほど忘れるのです。それでも続けています。続けることが、脳細胞の老化を防いでくれるのです。

もっともこうして続けられるのは、別な興味が湧《わ》いてきたせいもあるかもしれません。この歌ができたのが明治三十三年で、歌詞によって当時の日本の状況が手に取るようにわかり、これが実に興味深いのです。

歌詞の一番で、汽車が「汽笛一声新橋を」と出ていくのは、当時は現在の東京駅がなく、東海道線の起点は西新橋駅だったためですし、東海道を下って名古屋の熱田《あつた》では、「あおげや同胞四千万……」と、当時の日本の人口が四〇〇〇万人であったことがわかります。

さらに神戸《こうべ》では、「明けなば更に乗りかえて」と、汽車を乗り換えなければいけません。

なぜ神戸で乗り換えるのかと思い、鉄道の本を何冊も書かれている桜井寛《さくらいかん》さんに尋《たず》ねてみると、当時の国鉄は神戸までで、山陽線は私鉄でした。そのために乗り換えが必要だったのです。

こうして九州にたどり着くと、「眠る間もなく熊本の　町に着きたり我汽車は　九州一の大都会　人口五万四千あり……」と、当時は九州一の大都会は福岡ではなく、熊本だったことがわかります。

私は脳細胞をもっと使おうと、『鉄道唱歌』の暗唱にチャレンジしたのですが、こうして「ああ、そうだったのか」「なぜなのだろう」と、好奇心を満足させることによって、結構愉しんでいるのです。

「快老」とはいつも前向きに生きること

「豊かな老後を過ごすために実践すべき、もっとも大切なものは何ですか」

しばしばこんな質問を受けますが、私はいつも「好奇心を持ち続けること」と、答えています。私が、愉しく心地よく老いるために自分にいくつかの信条を課していることは前述しましたが、その信条の第一番目は「好奇心を持ち続ける」ことで、旺盛《おうせい》な好奇心は何よりの老化防止対策だと思っています。

私の場合、幸いなことに好奇心は今でも旺盛で、この好奇心が『鉄道唱歌』の暗唱という、八十歳の手習いとして、「チャレンジしてみようか」といった気持ちを起こさせたのです。また明治時代という当時の日本の状況に思いを馳《は》せて愉しめるのも、この好奇心のお陰です。好奇心があるために、いくつになっても変化に富んだ毎日を過ごしたいと願い、友だちを求め、趣味や旅行を愉しむなど前向きに生きることもできるのです。

またこの好奇心のお陰で、死ぬことも怖くありません。あの世は真っ暗だとか、永遠の眠りだとかでは面白くありません。私は好奇心をフルに活用して、自分なりのあの世像を創りだしていますが、そこには先に逝《い》った仲間たちが待っている、とても明るくて愉しい場所として考えています。

こうして好奇心を都合よく使ってもいますが、もしこの好奇心がなければ、どうしても家のなかに閉じこもりがちになり、生活も暗いものになってしまいます。

このことは、私たちが実施した調査でも明らかになりました。厚生省の関連に『シニアプラン開発機構』という組織があり、私はその会長を仰せつかっているのですが、何年か前にこの組織で、老後の暮らし方と現役時代の生き方の関連を調査したことがあります。

お年寄りを、積極的にボランティア活動をするなど、明るく愉しく暮らしている活動的なグループと、社会に参加しようとしないし趣味もなく、どちらかといえば家に閉じこもって蟄居《ちっきょ》生活を送っているグループに分け、それぞれの人が現役時代にどんな生活をしていたかを調べたのです。

その結果、いくつかのはっきりとした違いが浮き彫りにされました。その第一が前向きな姿勢です。たとえば活動的なグループの人は、忘年会や飲み会などでも積極的に愉しもうとしますが、蟄居生活グループの人たちはカラオケを歌わされることなどを嫌い、なるべく参加しないようにするのです。そんな具合ですから、友だちもあまりできません。友だちの数も、活動的なグループの人たちのほうがずっと多いのです。

また活動的なグループでは仕事以外の趣味を持っていた人が多かったのに対し、非活動的なグループでは皆無で、ほとんどの人が「仕事が趣味だった」と答えています。仕事が趣味だったためにリタイア後はやるべきことがなく、それがますます老年を暗いものにしているのです。しかも趣味がないために、関心が自分の体調などに集中します。そのために体調の悪さばかりを気にかけ、趣味の代償のように病院を転々とする人もいます。

現役時代に、仕事に、趣味に、遊びにと、積極的に生きていた人は、老後の生活もやはり積極的で、明るく愉しく、快適な日々を過ごしています。そしてそんな人たちと蟄居生活を送るお年寄りとの大きな違いが、知的好奇心の有無なのです。

たとえば『鉄道唱歌』と取り組みながら、「なぜ、神戸で乗り換えるのか」の疑問を抱いてしまうのが好奇心です。そして知的好奇心のお陰で、それを調べなくては気がすまなくなり、自分で調べたり、人に訊《き》いたりします。

それがどうでもよくなったり、調べるのが面倒になったら寝たきり老人になる赤信号です。私が「好奇心を持ち続ける」ことを信条の第一に掲げているのも、この赤信号が点《とも》るのを避けるためなのです。

あなたには、少なくともこの本を読んでみようという好奇心があります。その好奇心をいくつになっても失わないように心がけることが、前向きで快適な老後を過ごすための最大の秘訣《ひけつ》なのです。

私は以前、本当に前向きに生き抜いた九十二歳の男性の壮絶な最期《さいご》に接しました。私は船上講師を命じられている関係で、これまでに四回ほど、世界一周の船旅に出ています。飛鳥という豪華客船で世界中を回るのですが、一〇〇日もかかるのですから、とても若い人は参加できません。平均年齢は七十五歳ぐらいで、そのときの最高齢者は九十五歳の女性で、男性は九十二歳でした。

私は船上ではなるべく多くの人たちとおつき合いするようにしていますが、このお二人とも一緒に上陸したり美術館を巡ったりと、愉しい時間を過ごしました。

船は無事に横浜港に戻り、その人はタラップを降りて、出迎えの家族のいる場所に向かいました。そしてご家族に「ただいま」と言ったのですが、その途端に倒れて病院に運ばれ、そのまま亡くなられたのです。

この人のことは新聞の地方版に載りましたが、世界一周を果たした後のあの世への旅立ちは、満たされた一生だったと書かれていました。しかし私の目には、満たされた死というよりは、前向きに生き続けた九十二歳の壮絶な最期に映りました。さらに前向きに生き続けたいと思っていたのかもしれません。この人は、翌年の世界一周の旅にも予約していたのです。

私はなぜ七十歳で大引っ越しをしたか

私は今、親子三代一五人で一緒に暮らしています。いわば五世帯住宅で、門を入ると丸い庭があり、その庭を囲むように五軒の家が長屋のように連なり、私と家内は門の正面に住み、その両側に二軒ずつ長男と次男、長女と三男の家族が暮らしています。

知人にいわせれば大家族の食卓風景で、円卓を囲んで親子三代で食事をしているような感じです。

親子三代一五人で住もうと初めに言い出したのは長男でしたが、兄弟はそれぞれ結婚して独立しているので、簡単に話がまとまるはずはありません。次男はいまさら集合住宅に住みたくないと反対し、三男は子どもが幼稚園に入ったばかりなので嫌だと言ったらしい。それを長男が一年がかりで説得し、私のところにやってきたのです。

初め私の答えはノーでした。四十年も住んだ四谷《よつや》の土地を、なぜ七十歳にもなって離れ、病院の隣地とはいえ、別の土地に住まなければいけないのでしょう。住めば都という言葉が通用するのは若いときで、年をとるとやはり住み慣れた土地がいちばんです。

そう思って反対したのですが、ここでもまた、好奇心がむくむくと頭をもたげ始めたのです。順次独立して離れていった子どもたちが、再び集まったらどういうことになるのだろうか。二世帯住宅に長男と住むというのはよくある話ですが、独立した四人の子どもたちと文字通り隣居するといった話はあまり聞いたことがありません。

「いったい、どういうことになるのだろう。親子喧嘩《げんか》や兄弟喧嘩もあるんだろうか」

などと考え始めると、もういけません。ついつい好奇心に負けて「イエス」といってしまい、七十歳にして住み慣れた土地を離れることになったのです。

しかし実際に親子三代五世帯隣居を実践してみると、これが予想以上に便利で快適なものでした。私たち夫婦は船旅のために長期間家を空けることも多いのですが、そんなときにも安心できますし、ふたりでは多すぎるいただきものも、すぐにお裾《すそ》分けすることができます。また息子の嫁たちは、冠婚葬祭などのしきたりを女房に聞きにくることもあります。

それに私たち夫婦がもしボケてしまったとしても、子どもたちが四人も近くにいるのですから心強いし、また、かりに介護が必要になったとしても、子どもたちが交替でやれば負担も軽くてすみます。

もちろん私にも家内にも面倒を見てもらおうという気持ちはまったくなく、最後まで元気に生きたいと思って、『鉄道唱歌』に取り組んでいるわけです。私には、家内よりも先にあの世に行くという「予定」があります。家事も料理もなにひとつできないのですから、私が先に行かないとなにかと都合が悪いのです。

そうなれば家内がひとり残ることになりますが、その場合でも子どもたちが隣りに住んでいれば安心です。私も安心して、家内よりも先立てるに違いありません。

このように五世帯隣居には、意外なメリットがたくさんありました。五世帯が別々に家を建てることを考えれば、建築費もずっと安くすむという合理性もあります。

もっともこの快適さは、親子でルールを決めているお陰で味わえるものです。親子や兄弟だからといって、お互いにずかずかと相手の家に上がり込むようなことをしたら、どんどんデメリットが生じて、とても長続きしません。

寒さを避けるために二頭のヤマアラシがお互いに寄り添って暖をとるが、お互いの刺《とげ》で傷つけ合ってしまう。ショーペンハウエルという有名な哲学者の寓話《ぐうわ》に「ヤマアラシ・コンプレックス」というのがあります。しかしヤマアラシは何度か互いに傷つけ合ううちに、けがをしない適度な距離を考えだし、お互いに暖もとれるという話です。

そこで私たちもヤマアラシと同様に、「つかず、離れず、干渉せず」というルールをつくり、これをしっかりと守りました。

たとえ子どもたちの留守中に雨が降り、洗濯物が濡《ぬ》れていても、家内は決して注意しません。

「雨が降ってきた」と電話があった場合には、これは隣人のよしみでありがたく受け取りますが、一事が万事この調子です。お互いに「干渉せず」に徹しているからこそ、五世帯隣居のメリットが享受できるわけです。

話が横道にそれましたが、七十歳の転居からもわかるように、好奇心は私たち老夫婦を活動的にしてくれますし、ときにはこのようなメリットを与えてもくれるのです。

「老成」という考え方を捨てよ

「今さら好奇心といわれても……、何に好奇心を持てばいいのかもわかりません」

豪華客船に乗ったり、私の講演を聞きに見えたのに、ときどき、こんなことをいう人がいます。こういう人たちに共通しているのは、「家族に勧められて船に乗った」「友人に誘われたからきた」と、人に背中を押されて動いていることです。

「若さとは自発性だ」

ドイツの大作家、トーマス・マンはこう言っていますが、彼の言葉に従えば、自発性を失うのは、老いた証拠ということになります。逆に自発的な人たちはいくつになっても若さを失わないのですが、この自発性もまた好奇心の賜物《たまもの》です。

幼い子どもたちを見てください。赤ちゃん時代にはすべてを親に頼っていたのに、脳神経の発達にしたがって何でも自分でやりたがり、何にでも関心を持ち、やがて「なぜ？」「どうして？」と、親を困らせる質問攻めが始まります。

「いい年をして、今さらそんな好奇心を持ってどうするのだ」
「新しい知識を得て、それが何の役に立つのだ」
という人たちもいますが、そんな人にも、好奇心のかたまりだった頃があるのです。私たち人間は、好奇心を抱くことによって自発的に新しい体験を重ね、それが脳神経の発達を促して成長していくのです。

人類の文明も同じです。原人と呼ばれる私たちの祖先は一〇〇万〜二十万年ほど前にアフリカなどに登場したという説がありますが、それが長い年月をかけて世界中に散っていったのです。人口が増えたためではありません。山のあなたの空遠くに、幸いが住むと思ったからです。山や海を見ると、その向こうにはどんな世界があるのだろうかとの好奇心が起こり、越えてみたくなるのです。狩猟の移動生活から農業の安住生活へと変わっても、一部の人々は満足せず、新しい世界を求めて移動し、それに伴って技術や文化も移動し、別の技術や文化と融合して新しい技術や文化を生み出していったのです。

このように私たちひとりひとりの成長も人類の発展も、もとをただせば好奇心の賜物です。好奇心を失うことは成長をストップさせることにほかなりません。

誰もが生まれながらにして、この好奇心を持っています。最近では遺伝子の研究が進んでいますが、ある遺伝子が長いか短いかによって、好奇心の強さが違ってくるという研究報告があります。

ある遺伝子の情報（文字）が四十八個並んで一と組、という配列が、人によって一と組しかない人も、最大八組も並んでいる人もいるそうです。そして、配列が多い人ほど好奇心が強く、そのため新しい商品にすぐ飛びついたり、何度も引っ越しを繰り返したり、さらには転職を何度も繰り返すといいます。

私の知人のお子さんで、医学部を卒業して医者になった途端に医学に興味を失い、今は法律家になろうと勉強している二十代の若者がいますが、この人の遺伝子もおそらく四十八文字の繰り返しが多いのかもしれません。

いや人ごとではありません。かくいう私にしても、母親の遺伝子を受け継いでいるとすれば、好奇心の遺伝子は長いに違いありません。私の母親はとにかく外向的な人で、子育てはばあやに任せっぱなしで年中飛び歩いていました。私の小学校に顔を出したのも、後にも先にも一回だけで、運動会の練習で友達とぶつかって私が気を失ったときだけでした。

母は老後も海外を飛び回り、父の遺した印税などの財産をみごとに使い果たして亡くなったような人で、好奇心が強くなくては、あれほどのバイタリティーはとても生まれません。私はその母の子なのですから、四十八の文字列を四、五回は繰り返す遺伝子を持っていても不思議はありません。

もっとも、いくら好奇心が大切だといっても、この遺伝子が長ければいいというわけではありません。転職や引っ越しを繰り返していたのでは困りものです。私がここで言いたいのは、四十八の文字の配列がまったくない人はいないということです。したがって好奇心のない人もいないのです。

好奇心が希薄になる人とは、現状に満足しきっているか人生を諦《あきら》めてしまっている人たちです。満足すれば、その現状を守ろうとして保守的になり、新しい体験を避けたがります。「今さら……」とか「いい年をして……」といった言葉が飛び出すのはこんな人たちで、それが「老成」であり、理想の老人像だと勘違いしています。

私は、そんな年寄りでいたくはありません。子どもたちは新しい体験や知識によって脳細胞のネットワークを拡大していくのですが、年とともにその力は衰え、高齢になるにしたがって脳細胞はどんどん死滅していきます。だからこそ、せっせと新しい体験や知識を得て、その細胞が死滅するスピードを遅くしなければいけません。

「この年になって、新しいことにチャレンジしても何の役にも立たない」

　ではなく、

「もうこの年になったのだから、何か新しいことにチャレンジしなくては」

と、考えるべきなのです。新しい体験や挑戦は役に立たないどころか、老人ボケを防止する最善の策になります。

　しかも私たちは、年を重ねるにつれて、何か新しいことを始めようとするときに、あるいは何か決断をしようとするときに、自然に「高齢だから」といった気持ちが頭をもたげてくる傾向があります。かつての老人の美意識の名残りかもしれません。「ほかの人の足手まといになるのでは」といった気持ちも起こります。そんな気持ちになったときは要注意です。

「いかん、いかん。こんな気持ちを持つことが、好奇心を抑えることになるんだ」

と意識的に考え、この章で述べた好奇心の効用を思い出してください。決して「今さら老人」や「もう年だから老人」にはならないことです。

　体力的に危険なことは別ですが、それ以外の好奇心は抑えようとはせずに、まだまだできるという「まだまだ老人」になればいいのです。

第2章　「数病息災」で長生きする

老いても人手を借りない考え方と行動

「肩が凝《こ》る」「腰が痛い」「腕が動かない」「膝《ひざ》が痛い」

年とともに、こうしたからだの変調を覚えるようになります。どんな精密機械よりも複雑な人間のからだが、五十年も六十年も動き続けるのですから、支障がでるのも当然のことです。

たとえば大正五年（一九一六）に造られた車を想像してみてください。現役で走っている車など、おそらく日本には一台もないはずで、とうの昔にポンコツになっています。せいぜい外国の昔の車の愛好家によって惜しみなく手間と費用がかけられ、年に一度のオールドカー・レースで、かろうじて走るのが精一杯です。

ところが大正五年生まれの私は、ある程度の水と食料と酒があるだけで、こうして今原稿を書いていますし、まだまだ当分はポンコツになるつもりもありません。

そうは言っても、私の体はすでに八十年以上も稼動しているのですから、至るところにガタがきていることは確かです。たとえば膝が痛くて、座敷などで正座ができません。生活が欧米化しているとはいっても、まだまだ座敷を使う機会は少なくありませんから、これは困りものです。

無理して座れば、膝がミシリと音を立てます。しかも立ち上がるときがひと苦労で、膝がガクガクし、俗にいう「膝が笑う」状態になって、すんなりとは立ち上がれません。どうすればいいかというと、私は赤ちゃんのように四つん這《ば》いになり、ハイハイするのです。飛行機大好きな私は、このハイハイを「滑走」と名づけています。そして飛行機と同じようにしばらく滑走すれば、無事に離陸することができるのです。

年をとると子どもに戻ると言われますが、どうやら私の膝は赤ん坊に還ってしまったようです。これは仕方のないことで、この年になって膝が痛むのはあたり前です。しかし困るのは、人前ではこのテイクオフ（離陸）がやりにくいことです。

いかに飛行（非行）老人を自認しているとはいえ、なかなか人前では四つん這いで畳の上を滑走しにくく、しかも周囲の若い人たちが黙ってはいません。滑走する以前に手をかしてくれ、立ち上がらせてくれます。

これもまた困りもので、せめて一人のときには、自分で立ち上がらなければいけません。第1章でも話したように人の手ばかりを頼っていては、廃用性萎縮によって自力では立ち上がれなくなってしまいます。

立ち上がれなくなれば、やがて立つのが億劫《おっくう》になり、歩く機会も減って歩けなくなります。そうならないためには、とにかく自力で立ち上がらなければいけません。私が今誰の手も借りずに歩けるのは、ずっと、この自力を心がけてきたからです。

電車やバスのなかにはかならずシルバーシートがあり、お年寄りには席を譲りましょうといいます。とてもいいことのような気がしますが、七十代くらいでそんな親切に甘えて座ってばかりいれば、杖《つえ》に頼るようになるのは時間の問題です。

加齢とともにからだの故障が増えてくることは、人間である限り受け入れざるを得ません。そのうえで、いつまでも自力で行動できるからだを維持するためには、オールドカーの愛好家のように惜しみなく自分の体に手間をかける必要があります。

五十代、六十代から、

「エスカレーターやエレベーターは極力使わない」

「一日に八〇〇〇歩は歩く」

など、一種の前向きなリハビリと考えて廃用性萎縮を防ぐことが、惜しみなく手間をかけるということになるのです。これらを日頃から実行していれば、魅力的なオールドカーのようにいつまでも自力で動くことができるのです。

健康の秘訣は病気体験を生かすこと

すべての精密機械で、全体にガタがくるだけではなく、ひとつひとつの部品が傷《いた》んでくるのも、やはりやむを得ない自然の現象です。人間もまた同じです。かつては成人病といわれた高血圧症、糖尿病、動脈硬化などの生活習慣病が、多くの高齢者のからだを蝕《むしば》み始めます。

そうなったら焦っても仕方がありません。主治医の指導を仰ぎながら、死ぬまでうまくつき合っていくしかありません。

世の中には、自分の体調や病気にばかり関心を持つ人が大勢います。多くは日頃何もやることのない老人たちで、やれお腹の調子が悪いの、頭が痛いのなど、いろいろな症状を探しては医師に訴えます。病院はこんなお年寄りたちの情報交換の場となり、お互いに自分の病気を誇らしげに語り合っています。病院の待合室で、

「あれ、今日はAさんの顔が見えないけど、どうしたのかな？」

「そういえばそうだね。からだの具合でも悪いのかな」

笑うに笑えないジョークです。熱中できる趣味もなく友人もいないお年寄りたちにとっては、病気が唯一共通の話題なのかもしれません。

しかしこれは感心できません。不調を意識的に探したり自分の病気について大騒ぎするのは、虫歯や傷口に神経を集中させるのと同じです。ますます痛みが増すように、大したことのない病気を大病にしてしまうことさえあります。

こんなワナに陥ってはいけません。だからといって「病気など気にするな」というわけではありません。むしろ若い頃よりも頻繁に定期検診を受け、早期発見に努めるべきです。ただし病気が発見されたとしても、決して慌《あわ》てないことです。

あらゆる器官の性能が衰えているのですから、病気のひとつやふたつはあって当然なのです。あまり神経質にならずに、その病気を友とすればいいのです。

私にもいろいろな友人（病気）がいます。私はコレステロール値も中性脂肪値も高いのですが、最大の親友が前立腺《せん》で、もう二十年来の友だちです。

かつて韓国旅行に出かけた折、酒を飲みすぎたせいか、旅行中尿に血が混じり、泌尿器科の診断を仰ぐことになったのです。ガンかもしれないと思いましたが、幸いなことに病名は前立腺肥大。長生きの人がたいていはかかる病気です。

東京の聖路加《せいろか》国際病院で手術を受けたのが約二十年前で、以来、ずっとおつき合いしています。つき合い方の秘訣は決して前立腺ガンにはさせないことで、予防薬を飲んだり検診を受けるなど、こまめにご機嫌を伺っています。

私は本心からこれでいいと思っています。もちろんつらい病気です。トイレは近いし、排尿が終わるまでとても時間がかかります。駅のトイレなどで、いつまで経っても便器の前から動かない人を見たら、まず前立腺肥大と考えて間違いありません。混んでいるトイレなどでは申し訳ないとは思うのですが、これも仕方のないことです。完治させたいと思っても無理なのですから、こうして死ぬまでおつき合いしていくしかないのです。

ところが世の中には「無病息災」などという私の大嫌いな言葉があり、病気にならないことがいちばんだと教え、神社仏閣を訪ねる度に、無病息災を祈願する人たちもいます。

しかし長生きするには、無病息災ではなく、「数病息災」を祈らなければいけません。病気があるからこそ健康を気づかうのです。若くしてコロッと逝ってしまう人には、この無病息災の人が多いのです。

かくいう私も、実は四十歳ごろまでは無病息災で、健康管理などはまったく考えずにいい気になって働いていましたが、結局は過労でダウン。大事に至らなくてすんだことが幸いで、以来、数病息災こそが健康の秘訣だと考えるようになりました。しかもありがたいことに病気は、思いやりの気持ちを育ててくれます。

「一度も病気をしたことのない人とはつき合うな」

と言ったのは、かのロシアの文豪・トルストイです。これはまさしく名言で、病気を体験することによって私たちは命を大切にしようと思い、他人への思いやりも深まれば、他人の痛みも理解できるようになります。病気は人間の幅を広げるのです。もしあなたにもいくつかの持病があるとすれば、

「私たちはなんと素晴らしい人間なのだろうか」

と、私と一緒に、自分たちを褒めてやろうではありませんか。

誰があなたを寝たきり老人にさせるのか

ある国に、高齢者にとってはとても素晴らしい病院があるといいます。もちろん完全看護で、ひと度《たび》入院すればお年寄りが少しでも快適に過ごせるようにと、いろいろと配慮してくれます。

「歩くのが大変だ」とグチを言えば、検査に行くにもトイレに行くにも車椅子《くるまいす》を用意してくれますので、こんなに楽なことはありません。「食事をするのが億劫だ」と言えば、すぐに食べやすい流動食にしてくれたり、点滴をしてくれます。しかも、「夜中にトイレに行くのが面倒だ」とボヤけば、尿導管を挿入してトイレに行かなくてもすむようにしてくれるのです。

そのうえ、骨折程度でも、アメリカのように数日で退院させられるようなことはなく、少なくとも二、三週間は、天国のような至れり尽くせりの看護が受けられます。そして退院の日、お年寄りは立ち上がろうとするのですが、足がガクガクしてひとりでは立ち上がれません。なんとか家族に支えられて立っても、歩くことができません。

そこでお年寄りたちは家族におんぶされたり、借り物の車椅子に乗って、お医者さんや看護婦さんに「おめでとう」と祝福されながら、家に帰っていきます。そして、このお年寄りはこの日から、めでたく歩行という厳しい行為から解放されたのです。

推察の通り、ここは「寝たきり老人製造病棟」です。こうした病棟のお陰で、この国は寝たきり老人数世界一を誇れるのです。

ちょっと大袈裟《おおげさ》に書いてみましたが、この国とはもちろん日本のことで、寝たきり老人製造病棟に近い病棟は日本中の至るところにあります。最近では次々と発覚する医療ミスが社会問題にもなり、「病院に行くのが怖い」という声も聞かれますが、高齢者にとってはもうひとつ、寝たきりになってしまう恐怖があります。

もし自宅にいれば、家族が何かと手助けしてくれます。ゆっくりと歩いても文句も言われませんし、散歩に行きたくないと言っても「散歩しないと歩けなくなるわよ」と、逆に叱《しか》られてしまいます。食事にしても一時間も二時間もかけてゆっくりと食べても、食べ終わるまで待ってくれます。

使わなければ退化してしまうという廃用性萎縮について知っている家族は、寝たきり老人にはさせたくないと思って運動させようとしますし、本人も寝たきりになって家族に迷惑はかけたくないと努力します。

ところが病院では、とても家族のようには面倒をみられません。看護婦は多忙で、ゆっくり歩く患者さんにつき合ってはいられないため、どうしても車椅子に乗せてしまいます。食事にしても、お年寄りが自力で食べるのを待っていたのでは後片づけに支障をきたしますので、嚙まずに飲み込める流動食にしてしまいがちです。

本人もまた入院で気弱になってしまうせいか、あるいは病人だと思っているせいか、ついつい甘えて、楽なほうを求めてしまいます。

「退院後、普通の食事が食べられなくなった」

「入院中に車椅子の便利さを知って、自力で歩こうとしなくなった」

家族からこんな声が聞かれるのも、こうした事情によります。理想をいえば患者さんひとりに看護婦さんがひとりつけば申し分ないのですが、そんなことをしたら驚くほどの医療費を負担しなければならなくなります。

そこで私たちにできるのは、こうした事情を理解したうえで、寝たきり老人にならないように自衛することです。入院したからといって自分を甘やかさず、自分でできることは自分でやると決めることとです。家ではごく普通の生活をしていたとすれば、車椅子も流動食も断固拒否する心構えが大切です。

もしそれが許されない病院だとすると、そこは文字通りの、「寝たきり老人製造病棟」です。なるべく早く、そんな病院は逃げ出したほうがいいでしょう。

日本ほど寝たきり老人の多い国は他にありませんが、私は医療の現状だけではなく、お年寄りひとりひとりの意識にも問題があると思っています。「老いては子に従え」という言葉がありますが、心のどこかに「子どもたちに迷惑をかけてはいけない」といった気持ちが働き、どうしても消極的になりがちです。

その結果、多くのお年寄りは、ことに医師や看護婦などの前で「いいおじいちゃん」「いいおばあちゃん」を演じようとします。なんでも「ハイ、ハイ」と素直に従い、その結果、車椅子の誘惑に負け、流動食の食べやすさを知ってしまいます。

これではいけません。自分の人生は自分のものです。子どもは子ども、自分は自分と割り切り、死ぬまでどうやって愉しく生きようかを考えなければいけません。そして愉しく生きるためには、何よりも寝たきり老人にはならないという決意が必要なのです。

寝たきり老人になる直接的なきっかけのひとつは、足の骨折です。治療中は否応《いやおう》なく寝たきりになることも多く、お年寄りにとっては治癒後のリハビリが、大変な負担になるようです。もう嫌だと投げ出して寝たきりになるか、松葉杖をつきながら頑張って自力歩行を取り戻すか、こんなときに死ぬまで愉しく生きたいと願っている人ほど頑張りがきくのはいうまでもありません。

七十歳、八十歳になっても、決して寝たきり老人にはならない、死ぬまで人生を謳歌《おうか》するのだと、自分自身に言い聞かせることです。

夢が見えてきた、理想の老人病院の誕生

最近では、自宅で亡くなるお年寄りがめっきり少なくなりました。病院のほうが酸素吸入や点滴などの延命措置がとりやすいためです。つまり多くの人にとって病院は、ただ治療するところだけではなく、人生の最後を過ごす場所ともなっています。

このことは医療や介護を考えるときの、新しい重要なキーワードです。病院は医療に専念するだけではなく、お年寄りが心地よく最期《さいご》を迎えられるような、介護をも担当しなければならないのです。

もし病院がこのようにお年寄りが快適に最期を迎えられるような介護の認識を持てば、日本の「寝たきり老人製造病棟」はずいぶん少なくなるはずです。そしてわずかずつではありますが、経営者がそうした認識を持っている病院が現われ始めています。

そのひとつで、おそらく日本一の理想の老人病院といってもいいのが、東京の『青梅慶友病院』です。理事長は大塚宣夫《おおつかのぶお》さんという精神科医ですが、この方の病院経営のコンセ

プトは、

「将来、自分が入りたいと思う病院をつくる」

と、実に明快です。

「医学の力だけでは、お年寄りに豊かに長生きしていただくことはできません。食事をしないからと点滴をし、検査で異常があるからと注射したり薬を飲ませて寝かせておいたのでは、病気はなかなか良くなりません。しかもその間に、お年寄りは確実に生きる意欲を失い、身体能力は衰え、結局は寝たきりになってしまいます」

これでは、何のための病院だかわかりません。そこで、

「お年寄りを元気にする術はないのか、人生の最晩年を豊かにすることはできないのか」

を第一に考えたといいます。そして大塚院長（当時）は従来の発想を一八〇度転換しました。老人病院を、「病気や介護のために家庭での生活が困難になった人たちが、人生の最晩年を過ごす場所」と、位置づけたのです。

「それが現実だとすれば、まず第一に整えるべきなのは、快適な暮らしの場としての機能です。次いで十分な介護が受けられる態勢、そして必要なときには病気の治療や苦痛を取り除いてくれる医療。こういう組み合わせにすべきだと思ったのです」

病院を医療の場から暮らしの場に変えようという、実に斬新《ざんしん》で現実的な考えです。しかし「言うは易し、行うは難し」で、実際にこの方針で病院をつくるまでには、相当に苦労なさったものと推察します。

何しろ、今から約二十年も前のことです。病院が暮らしの場や介護に注目しても、それでは一銭の収入にもなりません。病院の収入は、検査や薬、注射の量によって決まった時代です。

そこで大塚院長が考え出したのが、「お世話料」でした。

患者が元気になることはきちんとやり、薬漬けなど患者のためにならないことは一切やらない。そしてその結果不足した費用は、患者や家族に負担してもらおうという考えです。

ごくあたり前の考えです。また当時は、完全看護の病院内でも家族が入院患者の介護のために自分で高い費用を払ってつき添い婦さんを頼んだものです。

大塚院長は病院の負担で介護の専門職員を養成し、介護の質を高める努力をしました。話が横道にそれてしまいましたが、大塚院長は医療保険制度の下では不足している機能をも自分で取り揃《そろ》え、その結果不足する分を「お世話料」として、本人ないし家族に負担してもらうことにしたのです。しかしこのあたり前のことが、当時の医療界ではタブーでした。

それでも大塚院長はこの方針を貫き、昭和五十五年（一九八〇）に青梅慶友病院が誕生したのですが一五〇床のベッドはすぐに満床になり、しかも口コミによって待機患者は増える一方で、二年後には二八〇床に増床、以降も拡大を続け、現在では八〇〇名のお年寄りが暮らす大病院に発展し、待機者も六〇〇名ほどで、入院には四年はかかるといいます。

ではいったい、この病院の人気の秘密は、どんなところにあるのでしょうか。

こんな老人病院に入ってみたい

まず病院に入って驚くのは、その明るさと清潔さです。広い廊下には至るところに花が飾られ、ソファーやテーブル・セットが置かれています。患者さんが院内を自由に歩き、疲れたらいつでも休めるように配慮しているのです。もし分厚い絨毯《じゅうたん》でも敷いてあれば、ホテルといってもいいかもしれません。

病院のスタッフはすれ違うと誰もが笑顔で、「こんにちは」と挨拶《あいさつ》します。病棟ごとに大きなガラスのドアがあり、夜はすべての病棟の入口がロックされます。入院患者さんの平均年齢は八十七歳ですから、痴呆《ちほう》があり夜中に徘徊《はいかい》するような患者さんもいます。そんな人が一人で外に出て戻れなくなることを防ぐためです。

しかしこのロックは、そばに書かれている使用法が理解できる人なら誰でも番号を押すだけで開錠できるようになっています。家族の面会は、三百六十五日二十四時間自由だからです。

こうしてどこかの病院のようにベッドに縛りつけることはなく、病棟内であれば自由に歩き回れます。ナースセンターに行けば、夜中でも夜勤の看護婦さんがお茶やお菓子を出して相手もしてくれます。

この病院では、七十歳すぎのお年寄りばかりですから車椅子は目立ちますが、パジャマ姿で歩いている人はひとりもいません。動ける人は全員、朝起きたら身づくろいをし普通の服への着替えが行われます。女性の患者さんにはお化粧も勧めます。

こうしたこと自体が一種のリハビリであり、緊張を保つ源となっています。そのための手伝いは大変です。看護婦さんにしてみれば、一日中パジャマでいてくれればずっと楽なのですが、それでは元気に長生きしてもらうことはできません。

「自分の親に対してして欲しくないことは絶対するな。して欲しいことはいつでも積極的に行え。将来自分も入りたいと思う場にせよ」この思想があちこちに感じられます。

また、寝たきりで入ってきた人にも、その人の残された能力を引き出すための訓練は徹底して行います。その結果、自分で食事が食べられ、オムツがはずれ、再び歩けるようになる人も珍しくありません。

自分の力で生きる喜びが蘇《よみがえ》ってくるのです。

もちろん食事にも、とても気をつかっています。栄養やカロリーなどの管理はあたり前ですが、それだけではなく、見た目と味にこだわっているのです。お年寄りにこそ食べる愉しみが大切であり、生きる力になります。

もちろん食器やコーヒー・カップにしても、プラスティック製などはとんでもない話で、安物の食器の使用は許されません。

患者が医師や看護婦にNO！といえる病院

　また、この病院には病院臭さがありません。あの消毒薬の臭いなどはなく、どこからともなくコーヒーの香りが漂ってきます。近くの病棟でティー・タイムをとっているのです。このティー・タイムや毎月の誕生日会などは、すべて各病棟ごとに企画されます。この病院ではいちばん権限を持っているのが各病棟の婦長さんです。

　患者さんの看護、介護、生活に関する部分の運営は、婦長の判断に委《ゆだ》ねられています。婦長は決められた予算の中で、事務用品からおしめなどの介護用品、患者さんのおやつや衣類まで、自分で配分を決めて、自分の責任で運営する仕組みです。

　ですから誕生日会やティー・タイムのやり方は、病棟によってまったく違います。廊下の花にしても、花の道を歩いているかのように点々と飾ってある病棟もあれば、まるで花屋さんのように、まとめて飾ってある病棟もあります。こんなところにも各病棟スタッフの個性が表われています。

こうすることによって病棟ごとの工夫が生まれ、患者さんにより満足してもらえる環境やサービスが整うのです。患者さんに好評だったことや、逆に不評だったことはただちにほかの病棟に連絡され、各病棟はほかの病棟のやり方をも参考にします。

さらにこの病院の特徴のひとつは、患者さんの社会性を重要視することです。人間はいくつになっても社会的存在で、身なりをきちんと整え、他人の中に身をさらし、見られていると意識することで蘇るのです。「オシャレ」もその一つの手段です。病棟の職員が取り揃えてくれた洋服やアクセサリーでオシャレし、ロビーに出、リハビリに行く。毎月病院内で催されるコンサートや食事会に出かける。これこそが社会的な存在としての活動であり、精神も肉体もシャンとしてくるのです。

お年寄りに少しでも若々しい服装をしてほしいとの配慮もありますが、この衣服支給の主な狙《ねら》いは、家族の手をなるべく煩《わずら》わせずにすませたいとの配慮にあります。このお陰で家族は、衣服の洗濯と運搬という作業から解放されるのです。

その代わりに大変なのが、衣服やアクセサリーを購入する婦長さんです。どんなものなら喜んでもらえるか、各患者さんの好みを把握しなければ、「いやだ」といって突き返されることもあります。決して強制できないだけに、慣れるまでは相当苦労したようです。

さらにこうした婦長を中心にした病棟運営を円滑《えんかつ》に行うために、病棟担当の医師がいないのもこの病院の特徴で、検診や治療などは、婦長が医局に電話して医師を呼ぶシステムになっています。このためここでは、医師が医師であるというだけで威張っているようなことはありません。それどころか、患者さんに評判が悪い医師は婦長が呼ばなくなってしまうのです。

このように婦長には絶大な権限が与えられていますが、病棟ではこの婦長よりも偉いのが患者さんです。私は便宜上、患者さんと書いてきましたが、この病院では患者という言葉は一切使わず、「患者様」と呼んでいます。

また、この病院では、患者様やそのご家族の要望は原則として「ダメ」とは言われません。極力それに応《こた》えようと、全職員が努力します。さらに、主治医や入院している病棟の変更を申し出ることもできます。

加えてこのお客様の要望や不満を聞くために、年に二回ほど、患者さんの家族に対するアンケート調査を実施しています。名指しでのスタッフ批判や、どんな不満も大歓迎で、指摘された問題には迅速《じんそく》に対処します。

日本にも、こんな老人病院があるのです。私の時代にはもう間に合わないでしょうが、近いうちに日本中にこんな病院がどんどん増えるかもしれません。そうなれば、世界一の寝たきり老人大国という汚名は返上できるでしょう。

酒をやめるか、タバコをやめるか——私の場合

「いつまでも健康でいたい」

これは私たちに共通の願いですが、それではその願いを叶《かな》えたいと私たちは努力しているかといえば、なかなかそうはいきません。タバコはやめてお酒もほどほどに……などと思ってもなかなか実行できないのが人の常で、そうこうしているうちに、ガンや生活習慣病の虜《とりこ》になってしまうわけです。

しかしうまくしたもので、からだのほうが自然と摂生《せっせい》を始めます。

私なども昔は肉大好き人間だったはずなのに、いつの間にか魚に変わり、食事の量も少なくなっています。

「食べたいときが旨《うま》いとき」という言葉がありますが、何かを食べたいと思うときには、その何かに含まれている栄養素を、からだが求めているときだと私は思っているのです。

ですからそんなときには、からだの求めに応じて食べたいものを食べるようにしていま

す。

その他には日本人が摂《と》りすぎる塩分を控えめにし、不足がちなカルシウムを意識的に摂るように心がけている程度で、あとはほとんどは家内任せです。

そんな私ですが、実は四十二歳のときに健康のために画期的なことをやりました。禁煙です。後にも先にも禁煙はこの一回きりで、弟のように禁煙と書いた紙を机の前に貼っては、何度も禁煙を繰り返すようなことはしていません。

四十二歳といえば男の厄年ですが、その前年、おふくろが私に厄落としの方法を伝授してくれました。

「家からいちばん近い交差点の真ん中で、ふんどし落としといで。それで厄も落ちるから」

何とも驚くべき厄落としです。今ならパンツとなるのでしょうが、私たち戦争体験者はふんどしが健康そのものであることを知っており、当時はかなりの愛好者がいました。その頃のわが家に近い交差点といえば、東京のド真ん中の四谷《よつや》四丁目というところで、交通量もかなりのものでした。その真ん中でふんどしを落とすとなれば、これは命がけです。ズボンし、だいいちふんどしというのはパンツと同じで、落ちないようにできています。

くてできません。交差点の真ん中でそんなことは恥ずかしくてできませんし、警察官にでも見つかれば、猥褻物陳列罪《わいせつぶつちんれつざい》とかで逮捕されてしまいます。で、結局のところふんどしは落とさなかったのですが、それが災いしてか、無理がたたって倒れてしまったのです。そのときに友人だった医師に、

「酒もタバコもじゃ、あまりに気の毒だ。どちらかやめたらどうだ」

と、言われ、考えた末にタバコをやめることにしたのです。酒は適度に飲めば百薬の長ですが、タバコは百害あって一利なしです。飲み友だちはいても吸い友だちはいませんから、この選択は当然でした。

以来タバコは一本も口にしていませんが、禁煙効果はただちに現われました。家内に言わせると「アンソニー・パーキンスそっくり」だった私のスリムなからだが、あれよあれよという間にふくよかになっていったのです。やたらに甘いものが欲しくなり、お汁粉屋の前に行くと入らずにはいられないという状況で、とうとう体重は八十三キロ。肥満は生活習慣病の最大の原因ですから、以来、私は減量との戦いを繰り広げており、現在は七十六キロで比較的安定しています。

こうした四十二歳の厄年の倍の年月を健康に生きてこられたのは、ひとつにはこの禁煙

のお陰ではなかったかと思っていますが、その間、酒のほうはずっと飲み続けています。

しかも若い頃はかなり飲みましたし、醜態を演じたこともあります。

終戦直後だったと思いますが、京王線《けいおうせん》沿線のある病院で研究の仕事を終え、医局で一杯ごちそうになったのですが、それがバクダン焼酎《しょうちゅう》と呼ばれる質の悪い酒で、私は電車のヘッドライトを見て駅まで駆けて行き、電車に飛び乗ったことまでは覚えています。当時は電車が行ってしまうと次の電車がいつくるのかまったくわからない時代でしたから、酔っていても電車を見たら走る習性がついていたのです。

次に気がつくと、目の前は真っ暗闇です。

「いったいここはどこなんだ。地獄にしてはやけに静かだな」

と、目を凝《こ》らしているうちに事態は飲み込めました。車内で眠ってしまい、その間に電車は新宿に着き、回送電車となって桜上水《さくらじょうすい》の車庫に入ってしまったのです。乗客が残っていないかどうかを確かめもせずに車庫に入れてしまうのですから、当時はひどいものです。しかも外はどしゃ降りの雨。ずぶ濡れになって、代田《だいた》の家（当時は世田谷区代田に住んでいました）まで歩いて帰ったこともあります。

人生の巡り合わせとは妙なもので、こともあろうにそんな私が、アルコール健康医学協会の会長を仰せつかり、適正飲酒をすすめる立場になってしまいました。当時、増えていたアルコール中毒症の撲滅《ぼくめつ》を任とする厚生省管轄の組織ですが、最初は「何で酒飲みの私が」と戸惑いはしたものの、いつの間にか、「こういう仕事は酒の味のわからないヤツには勤まらない」などと、屁理屈《へりくつ》をつけて納得していました。

しかし、やはり立場というものを認識しないわけにはいきません。「アルコール健康医学協会会長が泥酔」などのニュースが流れたら、これは大問題です。どうしても、酒量を抑えるようになります。

ところでこの適正酒量ですが、実際には個人差があるので一概にはいえませんが、健康人の一応の目安として日本酒なら二合、ビールなら大ビン二本、ウィスキーなどはダブルで二杯、ワインなら三日で一本といったところで、この適正酒量を守って、しかもできれば週に二日、無理なら一日の休肝日をつくれば、アルコール中毒はもちろん、まず肝臓を痛めることはありません。

どうせ飲むなら百薬の長として活用し、死ぬまで酒を友としていたいものですが、実は厚生省にはとんでもない人間がいるもので、二十一世紀には適正酒量を今までの半分にしようなどと言っています。

同時に青少年の禁酒を何とかして実行したいとも言っています。目安として日本酒なら二合……と出したのですから、それでいいわけで、その適量を減らすかどうかは酒飲みが自分で考えることです。

自らの人体実験で健康管理

このように酒を愛する私に、以前、大変な事件が持ち上がりました。

「どうです。お酒をやめてみませんか」

前立腺を診ていただいている医師が、私にこう言うのです。一瞬、えっと驚きましたが、私はこういうときにはとても素直なようで、すぐに「それもいいかもしれない」と考えてしまうのです。こうして二十世紀が終わる三カ月前から、禁酒を実行することになってしまいました。

実は私自身もコレステロールや中性脂肪が高いことが気になっており、酒をやめれば数値が下がるのではないか、と考えたためでもあります。三カ月の禁酒で、コレステロールはどのくらい下がるのか、三カ月後を楽しみにしていました。

そして三カ月後、私が胸をときめかせながら血液検査の結果を見ると、どうしたことでしょう、コレステロール値も中性脂肪もまったく下がっていないではありませんか。その瞬間、私は決心しました。

「よし、二十一世紀からはお酒を飲むことにしよう」

新たなる世紀を祝福しながらの酒が、とても美味《おい》しかったことはいうまでもありません。この自らのからだを使っての人体実験は、適量の飲酒は健康に害を及ぼさないことの証明でもあります。もし三カ月の禁酒でコレステロール値が下がったとすれば、酒は適量でも害があることを証明することになってしまいます。

そう考えればこの結果は、私個人としてはいささか不本意でも、アルコール健康医学協会会長としては、実に喜ばしい結果だったわけです。

今後は適量飲酒を実践することによって、なるべく元気に長生きし、酒が百薬の長であることを証明しなければなりません。

年をとれば、酒量が減るのはいい姿です。現在の私は一合で十分です。そのうち五勺《しゃく》ぐらいになるでしょう。

トイレと風呂場にご用心

年をとるとトイレが近くなりますが、私の場合には前立腺肥大という病気もあるためなおさらです。夏ならともかく、真冬の夜中のトイレ通いほどつらいものはありません。つらいどころではなく、高齢者にとっては命がけの行為といってもいいでしょう。

寒さに震えながら立ち上がってトイレに向かうのですが、このとき夜具につまずいて転倒する事故がとても多いのです。捻挫《ねんざ》や、下手をすれば骨折という事態になれば、長期間足が使えなくなり、それがきっかけで車椅子の生活になってしまうことさえあります。

こうした事故を避けるためには、腰かけるとちょうど足の裏が床に着く高さのベッドで眠ることです。これならまず腰かけてから立ち上がればいいので楽ですし、布団につまずくこともありません。年寄りといえばいまだに和室に布団といったイメージが強いようですが、和室はともかく、布団よりはベッドのほうがずっと便利で安全なのです。

さて、こうして夜中にトイレへ行くのですが、トイレは風呂場と並んで高齢者の鬼門のような場所です。夜中のトイレに暖房が入っている家はまれでしょうし、膀胱《ぼうこう》に溜《たま》った暖かい尿を排泄《はいせつ》すると、寒さで身震いしてしまいます。

ことに血圧の高い人はこの寒さで血管が収縮し、脳梗塞《のうこうそく》や狭心症などを起こす危険が高まります。冬の夜中のトイレは、高齢者にとって、それほど危険な場所なのです。

この危険は何としても避けなければいけません。そこで私が愛用しているのが溲瓶《しびん》なのですが、これを使えば布団につまずくこともありませんし、冥土《めいど》への旅を急ぐこともありません。

父の茂吉《もきち》はバケツを使い、そのバケツを極楽と呼んでいましたが、まさに「極楽、極楽」といった快適さです。しかも溲瓶は透き通っていますので、尿の観察にももってこいです。毎朝尿をチェックすることによって健康状態を確かめることができます。冬の夜のトイレがつらいと感じたら、まず溲瓶。これもまた長生きの秘訣といってもいいかもしれません。

不老不死の時代がくる日

欲しいものをすべて手にした秦《しん》の始皇帝《しこうてい》が、不老不死の食べ物を求めて日本にも徐福《じょふく》という使者を送った話は有名ですが、いよいよ二十一世紀には、不老不死の薬の完成が濃厚になってきました。それも五年か一〇年後の話というのですから、私も九十五歳ぐらいまでボケずに生きていれば、若返りも可能かもしれません。

この薬とはES細胞という受精後間もない初期段階の細胞のことで、この細胞からは心筋や脳細胞のように普通では再生不可能な組織や内臓など、あらゆる器官が人工的につくれるというのです。

つまり、たとえば肝臓が悪ければ、自分の細胞から肝臓をつくってもらい、これを古い肝臓と入れ替えればいいのです。すでに臓器移植が日常化されていることはご存知の通りですが、このES細胞の技術は臓器移植とはまったく異なり、死という概念をも変えてしまうほどです。

自分の細胞からつくるのですから、移植につきものの拒絶反応ももちろんありません。内臓を順次新品に替え、皮膚移植まですれば、外観も二十代に戻れるかもしれません。もっとも体型のほうはどうにもなりませんから、私がかつてのアンソニー・パーキンスに戻れるわけではありません。それでも確実に若返り、入れ替えた筋肉によって若さもみなぎってくるはずです。

年とともに老化し、確実に死ぬ理由のひとつは、細胞の分裂回数に限界があるためです。たとえば喫煙や飲酒によって体内に入ったアルコールやタバコが出す毒物は肝臓で分解されますが、そのときに肝臓の細胞も傷つき、どんどん死んでいきます。ところが肝臓の復元力は素晴らしいもので、元気な細胞がどんどん分裂して新しい細胞をつくって補充するのです。

からだ中の組織が細胞分裂を繰り返すことによって、私たちの組織は常に新しいものに入れ替わっているといってもいいでしょう。分裂しない細胞は、脳の神経細胞と心臓を動かしている心筋だけです。

ところがこの細胞の分裂回数は生まれつき決まっているのですから、おのずと臓器などの寿命も決まってしまうことになります。

そこで私たちが母親の体内で細胞分裂を繰り返してからだの組織をつくったように、人工的に細胞分裂をコントロールしてさまざまな臓器をつくり、これを入れ替えられるとしたら、新しい臓器はまた数十年間生き続けられることになります。

つまり私たちはもっと長生きすることができるのです。しかし問題は脳で、脳を取り替えたのではまったくの赤ちゃんに逆戻りしてしまいます。この技術が実用化するかもしれない五年後か一〇年後には、そんな問題もクリアしているかもしれません。ES細胞からつくった脳の神経細胞を少しずつ入れ替えていけばいいわけで、現にアルツハイマーの治療に役立つと期待されてもいます。

何やら恐ろしい時代になりました。洋服のオーダーメイドのように新しい臓器をつくっては、百五十歳、二百歳と生きる人が増えてきたら、世の中はどうなるのでしょうか。このES細胞が難病に苦しむ人たちの救世主になるかもしれないとは思いつつ、そら恐ろしいような気もします。

神の思召《おぼしめ》しに反することはやめようという声が、私の身体のどこからか聞こえてくるような気持ちもしますが。

どう生きるかは、どう死ぬかを考えること

不老不死の話から、死の話に戻ることにしましょう。やはりこちらのほうがしっくりする感じがします。人間、死があるから生きることを大切にできるのです。

「死ぬまでの命」「死んだ気になって」など、死そのものが生きるための励ましであるような面もあります。

私も、いつお迎えがくるかわからない身だからこそ、愉しく充実した毎日を過ごしたいと考えています。

また最近では、死を生と同じように大切にしようと考える人たちが増えてきました。自分の意思で生きてきたように自分の意思で死のうという考え方で、その最たるものが尊厳死と呼ばれる死です。

たとえば米国のオレゴン州には尊厳死法という法律があって、この尊厳死が認められています。自分で死ぬ日を選び、家族などを集めて感謝とお別れをすませて旅立って行くの

です。

もちろん、誰もがこの尊厳死を選べるわけではありません。医師による余命半年以内の宣告が条件になっています。

この宣告を受けた人が口頭で尊厳死を望むと、第二の医師の診断が求められます。そしてこの第二の医師も余命半年以内と診断すると、次に文書による申請をして、この尊厳死が許されることになります。強力な睡眠薬を服用することによって、永遠の眠りにつくのです。

オレゴン州ではすでに四〇人以上の人がこの尊厳死を選んで亡くなっており、その三分の二の人たちが、「いつどこで死ぬかを自分で決めたかった」と、尊厳死を選んだ理由を述べています。

合衆国政府はこの法律に批判的だといいますが、余命幾《いく》ばくもない条件の下では、死ぬ場所と日時を自分で決めてもいいのではないかとの考えが欧米の一部で見られ、オレゴン州のように法制化さえされているのです。

尊厳死がいいのか悪いのかは難しい問題ですが、私たちも決めておかなければならないことがあります。

それは自然死を求めるか延命措置を求めるか、さらに、延命の場合、どの程度の延命措置を求めるかの問題です。現状では意識が混濁している患者の意見が聞けないため、家族と医師が相談して決めているのが現状です。

たとえば呼吸が困難に陥った場合、気管を切開して管を通せば呼吸が楽になり、延命効果もありますが、話すことができなくなります。話せなくても生きていたいか、多少命が短くなっても、最後まで家族と話していたいのか、まさにその人その人の価値観の問題になってきます。

またガンなどで余命数ヵ月と診断された場合にどうするかも、自分で決める問題です。ホスピスなどでモルヒネなどの強力な痛み止めを処方してもらい、ぎりぎりまで旅行を愉しんだり、家で日常生活を送ることもできますし、病院に入院し、あらゆる延命措置をほどこして、からだ中管だらけになって数ヵ月余分に生きることもできます。

どちらがいいかの問題ではありません。たとえば、「一ヵ月後に生まれる、孫の顔だけでも見て死にたい」と思えば、たとえ身動きできなくても生きていたいと望むのではないでしょうか。私の場合には、無用に苦しむのだけは、できれば避けたいと考えています。

そのためには延命措置をどの程度にするのか、これからあらためて勉強し、子どもたちに伝えておかなければ、と思っています。どう死ぬかを自分で考えるなど、かつては想像もできなかったことで、これも医療の進歩の落とし子なのかもしれません。

第3章　「遊び心」で人生を愉《たの》しむ

年間五〇〇時間の勉強で、ゼロから一人前になれる

「これといって趣味もありませんもので……」

いまだに平気でこんなことを言う人たちがいます。私は、こうした人たちは「人生を愉しく生きる」ということを本気で考えていないのではないかと、思わざるを得ないのです。

ひと昔前には、〝粗大ゴミ〟とか〝濡れ落ち葉〟と言われた人たちがいました。すべてを犠牲にして日本の経済成長を支えてきた人たちですが、そんな人たちがいざ退職してみると、仕事以外のことは何も知らないし、またできないことに気づいたのです。

どうすることもできず、家でゴロゴロして粗大ゴミ扱いされたり、奥さんの後ばかりついて歩くために、背中に張りついて離れない濡れ落ち葉にたとえられました。働くことだけに目が向き、とても老後の暮らしまで考えている余裕がなかったのです。

しかし今は違います。四十代も半ばになり、社内での立場などが見えてくると、退職後

のことを真剣に考え、ボランティアに参加したり、リタイア後の生き方についての講演を聞くなど、第二の人生を模索し始める人が多いそうです。

もちろん、現役時代にはとてもそんな余裕がないという人は今でもたくさんいます。そんな人にぜひ参考にしていただきたいのが、七、八年前に定年を迎えた私の知人、Kさんの話です。

「仕事のストレス解消に、ときどきジャズを愉しむのが趣味といえば趣味」

という程度で、家庭のことはすべて奥さん頼りでしたから家にいてもやることがなく、まさに粗大ゴミだった。しかし二、三カ月もすると、

「何もやることのないこの時間こそ、今まで働き続けたご褒美ではないだろうか」

と、考えるようになったといいます。

「そのせっかくの自由な時間を、どう有効に使おうか。何か勉強したいとは思ったのですが、仕事一筋だったもので、これがなかなか思い浮かびません。そこで自分は何が好きなのかとあれこれ考えて、ようやく〝歴史〟にたどり着いたのです」

それでは、歴史のどの時代がいちばん好きなのかと、あれこれ分析した結果、室町時代に行き着いたといいます。そして室町時代を知るためには能という文化を知ることが不可

欠と考え、〝能〟の研究を始めたのです。

Kさんのすごさはそれからで、

「どんなことでも、年間五〇〇時間集中して勉強すれば自分のものになる」

との信念を持って、能と取り組んだのです。特別な素養があったわけではありませんから、まったくのゼロからのスタートで、最初は右も左もわかりません。

それでも「とにかく五〇〇時間」と思って能を鑑賞し、書物などで勉強を重ねるうちにおぼろげながらわかるようになり、それにつれて、どんどん面白くもなっていったといいます。

そして今では、何と、東京・中野《なかの》区で中世芸能の研究会を主宰し、同好の人たちに能の講義をするまでになり、第二の人生を愉しく有意義に過ごされています。今は趣味がないが、リタイア後も充実した人生を送りたいという人は、ぜひKさんを見習ってみてはいかがでしょう。

「何事も五〇〇時間やればものになる」

まさにその通りで、その意欲さえあれば、誰にでも素晴らしい趣味は持てるものです。

それにもかかわらず、冒頭で述べたように「これといって趣味もなく……」という人もいます。現役時代は仕事に流されて、定年後は老いに流されて生きていく。これではあまりに自分がなさすぎて、私には寂しくて暗い人生としか思えないのですが。

老人性うつ病を疑うとき

かつて私たちには、一生の間に二度の精神的な危機がありました。ひとつは社会環境の変化に基づく青年期で、もうひとつが肉体的な環境の変化に基づく更年期です。

ところが今や、危機は時期を選ばなくなっています。子どもたちが登校拒否や家庭内暴力に走り、十七歳の少年が理由なく人を殺害し、三十代、四十代のストーカーや性犯罪者が日本中に溢《あふ》れています。さらに高年齢化によって、俗に老人と呼ばれる人たちには「老人性うつ病」が蔓延《まんえん》しています。

老人性うつ病といっても本質的には青年期や更年期のうつ病と同じで、不安や焦りが原因となっている点は変わりません。ただ老人の場合には、それに加えて消え去り行く寂しさや恐怖といった、老人特有の現象が加わります。

私なども実感していることで、亡くなられる友人や知人が次第に増えてきます。かつての仕事仲間や遊び仲間が、健康や環境の変化によって遠のいていき、次第に年賀状だけのやり取りになって、やがて訃報《ふほう》が届くという寂しさを味わいます。また必要以上に病気を恐れ、心配する心気症状が強くなるのも、老人性うつ病の特徴です。なかには病気を探すのが趣味のような人もいますが、これは困りものです。

また、夫に先立たれた奥さんが、喪失感からうつ病になり、やがて「近所の人が私の財産を狙っている」「嫁が私のお金を盗んだ」などの被害妄想になるケースもあります。自分を守ってくれる人が誰もいなくなってしまったという、不安感のなせるわざです。

こうしたうつ病は、家族はもちろん自分でも診断することができます。まず第一に、今までの朝の習慣に乱れが生じます。たとえば朝起きてトイレに行き、顔を洗ってから新聞を読むなど、その人その人の朝の手順があるのが普通ですが、この手順が異常に乱れたり、毎日やっていたことをやらなくなります。

第二に、いつもは人と会うのが好きな人が、人を避けるようになったら要注意です。さらに第三は決断力の低下です。書店に行ってもどの本を買うかなかなか決まらない。スーパーでもしかり。以前はそんなことはなかったのに急に決断力が落ちたと思ったら、やはりうつ病を疑うべきでしょう。

またうつ病でも不眠を訴える人がいますが、不眠症とは違います。不眠症はなかなか寝つけなかったり、寝られずに一晩中起きているような症状ですが、うつ病の人は寝つきはいいのに二、三時間で起きてしまうため、「午前二時症候群」などとも言われています。

うつ病もひどくなると、

「死んでしまえば楽になるんじゃないか」

「私がいなければ家族や会社が救われるんじゃないか」

などと考え始め、自殺に追い込まれることもありますので、こんな症状を自覚したら、ただちに専門医の診断を仰ぐべきでしょう。

本心でのめり込むものがあれば、うつ病を寄せつけない

私は、しばしばうつ病になりかかっています。気がつくと一日中仕事のことを考えており、「これはまずいぞ」と思うのですが、それでも実際にうつ病になったことは一度もありません。

私はその理由を、一日に一度はかならず、頭のなかが空白になる時間があるためだと思っています。わかりやすく言えば、仕事以外のあるひとつのことで頭がいっぱいになるのです。私の場合、それは〝飛行機〟で、私はどんなに忙しくても、寝る前に好きな飛行機の雑誌を読みます。夢中になって夜更かしもします。すると、

「あなた、いい加減になさい。もうワン・ノー・フォーですよ」

などと家内のジョークが飛んでくるのも、そんな夜です。ワン・ノー・フォーとは、かつて私が乗ったことのある自衛隊の超音速戦闘機F104のことで、パイロットたちは104をワン・ノー・フォーと発音しています。つまり、「もう一時すぎですよ」と私の飛

行機好きに合わせたジョークで知らせてくれるのです。

このように大好きな雑誌を読んでいると、私の頭の中から、仕事のことも、昼間の嫌だったことも何もかも消えて、もう飛行機のことでいっぱいになるのです。これがきっと私の頭脳をリフレッシュさせ、うつ病にならないですんだ理由だと思っています。

夢中になれる趣味があれば、うつ病は撃退できる。私がこう信じているのは、父を見てきたせいもあります。私の診断では、父、茂吉は、真面目さ、粘着性気質などを考えてみても、百%うつ病になっても不思議ではない要素を持っていました。

さらに、うつ病になってもすこしもおかしくない状況が何度も訪れました。まず最初は大正十三年で、病院が火事で全焼し、気落ちした祖父に代わって、父が病院再建のための金策に全国を駆け回ったときです。

火災保険も祖父が忘れて掛けてありませんでしたから、火事で全財産を失い、かろうじて燃え残った焼け跡の廃墟《はいきょ》に住んでいました。そこに疲れ果てて帰ってきた父が、電話口に向かってしきりに頭を下げていた姿を、今でもはっきりと覚えています。

その頃の私にとって、父は、怖い人という印象でした。といっても叱られたわけでも怒鳴られたわけでもなく、父に慣れていなかったためにそう感じたのです。

私がもの心のつく頃から、父はずっと長崎に勤務していたこともあり、めったに顔を合わせることはありませんでした。そのうえ母が外出がちですから、私は家庭とか家族というものを知らずに育っていたのです。それが焼け跡のバラックで突然の家庭生活、食卓で父親の前に座らされた私はただ緊張し、怖い人だなと感じたのだと思います。

そして二度目は、祖父の跡を継いで父が院長になった頃です。このいずれの場合も過労や苦悩で睡眠薬の助けを借りなくては寝られない毎日でしたが、それでもうつ病で倒れることはありませんでした。

当時の父の日記には、「物モ書ケズ」とありますが、実際には短歌を詠《よ》み、『アララギ』という短歌雑誌を編集し、数々の滞欧随筆や『南京虫』『赤彦臨終記』など、いろいろな随筆や散文を書いているのです。その頃は多分に経済的な安定のためにも必要な執筆だったとは思いますが、この書くという行為が、父をうつ病から守ったのだと思っています。

このように、悩みも疲れも忘れて没頭できる趣味があれば、老人性うつ病は予防できるのです。

もちろん音楽鑑賞でも陶芸でもガーデニングでも、趣味の内容は問いません。たとえば私は飛行機だけですが、作家の阿川弘之《あがわひろゆき》さんは、飛行機でも汽車でも船でも、乗り物すべてに関心をお持ちですし、医師の今井通子《いまいみちこ》さんは登山と、つまり本業以外なら何でもいいのです。

私の大先輩の漫画家・故横山隆一《よこやまりゅういち》さんの趣味は、なんと「男の脛毛《すねげ》コレクション」で、これがすごいのなんの。脛毛が一本ずつセロテープで止めてあり、その下にかつての所有者の名前が書いてあります。役者、作家、音楽家などの有名人から無名人まで、それぞれの脛毛がかつての所有者の個性を主張しながら、ずらりと並んでいるのです。一緒に旅行にでも行けば、誰もがこのコレクションの仲間入りです。

横山さんがコレクションを眺めて何を考えていらっしゃったのかは私には計り知れませんが、日常の雑事をそのときだけでも忘れ去ることができれば、それでいいのです。

老年を豊かにする遊び心の三つの条件

遊び心があるかないかは、晩年の人生を大きく左右します。遊び心のない人の第二の人生は、だいたいが暗いものになりがちです。うつ病やアルコール依存症、あるいはボケなどは、どうも遊び人を好まないようで、几帳面で生真面目な人ばかりを狙って襲いかかるようです。

このことは、とくに痴呆老人を見るとよくわかります。真面目一筋に脇目もふらずに生きてきた人が、ボケという陥穽《かんせい》にはまってしまいがちです。車のステアリングの〝遊び〟が事故を防いでいるように、人間の遊び心は痴呆を防いでいるといってもいいでしょう。

遊びといっても幅が広く、私は何も、飲む打つ買うなどの遊びを奨励しているわけではありません。もっとも、〝悪い遊び〟をかならずしも否定しているわけでもありません。

私が子どもの頃には、たとえば市電の線路の上にコインを置き、心ときめかせながら、もの陰に隠れて電車がそれを圧《お》し潰していくのを見ていたり、用もないのによその家の玄関の呼び鈴を押して一目散に逃げたりなど、悪戯《いたずら》もよくやりました。

ところが最近の子どもたちは、こんな悪戯はまったくやりません。その代わりにいじめや家庭内暴力、さらには殺人などに走ってしまいます。しかも凶悪な犯罪を犯す子どもたちの多くが、「まさかあの優等生が」「礼儀正しくて真面目な子なのに……」などと、周囲の人たちを唖然《あぜん》とさせるのです。

こうして考えると、多少の悪戯は精神衛生上好ましいことのように思えてきます。現に社会で活躍されている人たちのなかには、かつては〝悪ガキ〟だった人たちがたくさんいますし、ちょっとした悪戯も、人様に迷惑さえかけなければ遊びのうちです。

ところで、遊びとはいったい何なのでしょうか。私が講演などで遊びの話をすると、それでは「遊びとは何か」と質問されることがあります。そんなときには、私は次の三つの条件を満たす行為が遊びだと答えています。

①自由に行うこと

たとえば無理やりカラオケを歌わされる、接待でやむを得ず飲んだり接待ゴルフをするなどは遊びとはいえません。ストレス学説で有名なハンス・セリエも、「遊びは好きでするもの、仕事はしなければならないもの」と言っています。だから仕事はストレスになり、遊びはストレス解消になるというわけで、このストレス解消こそが遊びの最大の効用です。

②非日常的であること

たとえばいちご狩り、ぶどう狩りなどは、私たちにとっては非日常的な遊びですが、農家の人にとっては日常の仕事でしかありません。また毎日の犬の散歩なども運動にはなっても遊びとは違います。

③利益と結びつかないこと

競馬や競輪などはもちろん、賭《か》け麻雀《マージャン》やパチンコなどに夢中になるのも、とても遊びとはいえません。どんな形にせよ、お金が絡《から》まないのが遊びの条件なのです。

この三つの条件を満たし、なおかつ、それをやっていると、とても愉しいと思えるものが遊びです。

あなたもどんどん遊び、来《きた》るべき老人性痴呆を遠ざけようではありませんか。

ユーモア・センスのある人は人生に得をする

数年前、当時のクリントン米大統領が、テレビで日本の国民と対話したことがありました。テレビを観ていた人なら、大統領が随所にユーモアを交えながら、会場にいる人たち、あるいはテレビの前の私たちをいかにくつろがせるか、和《なご》やかな雰囲気を演出するかに配慮していたことに気づいたと思います。

しかし日本にも、官僚の書いたメモを読むのではなく、自分の意見がハッキリと言えるクリントン大統領のような首相がいたとしても、会場の雰囲気はとてもああはいきません。きっと会場を和《なご》やかにすることなどより、いかに失言を避けるかで頭のなかはいっぱいでしょう。

米国に限らずヨーロッパの首脳たちも、ユーモアのセンスに溢れています。それに引き替えアジアは……と思っているところに、今度は、中国の朱容基首相がやってきて、同じように国民と対話したのです。お国がらもあって、日本人の質問のすべてに明確に答えたわけではありませんが、それでもユーモアを交え、和やかな雰囲気をつくるための配慮は忘れていませんでした。

私は朱首相の演説を聞きながら、大国のリーダーたちのサービス精神に感心していました。ユーモアとは一種のサービスで、自分と相手の関係を和やかにすると同時に、相手に親しみを感じさせる潤滑油《じゅんかつゆ》のようなものです。

ですから米国では大統領が記者たちを笑わせ、学生を笑わせるジョークが言えない大学教授は教授の資格がないとさえ言われます。

ところが、これが日本ではなかなか通用しません。たとえば会議などで下手に冗談を言おうものなら、いい加減なヤツだと思われかねません。首相の施政方針演説にユーモアを交えたら、きっと「国会を侮辱する気か」などと言われるでしょう。

これは多分、本音を語る国民性と語らない国民性の違いかもしれません。ノーならノーとはっきり言って激論を交わす人たちにとっては、ユーモアによって和やかな雰囲気を演出するのは、円満な関係を維持するための大人の知恵なのです。

ところが本音を語らない人たちは、激論も交わしません。

「ここはどうか、こちらの事情をお察しのうえで、何とかよろしく……」

と情に訴えて頭を下げたり、

「ま、ま。そんなヤボなことはおっしゃらないで。さ、一杯どうですか」

と、何が何だかわからないなかで、ものごとが決められていきます。

だからといって、日本人にユーモアのセンスがないというわけではありません。それどころか落首だとか川柳などのシリアスなユーモアや、落語などの独特の文化があります。

私の回りにもユーモアのセンスを持っている人たちはいます。

真っ先に思い浮かべるのは、紀伊國屋書店の先代社長・田辺《たなべ》茂一《もいち》さんです。田辺さんと一緒に旅に出ると、私はいつも身構え、緊張することを強《し》いられました。田辺さんが怖かったわけではありません。私が緊張しなければならなかったのは、次々と田辺さんの口から飛び出すシャレのためでした。

そのほとんどは上に「ダ」をつけたほうがいいシャレですが、それでも機関銃のように飛び出すシャレに即座に反応し、それを上回るジョークやユーモアで応じるには、常に身構えざるを得なかったのです。

間髪《かんはつ》を入れず、絶妙なタイミング、常識や良識、雑学や表現力など、さまざまな要素が求められますから、脳は否応なく活性化し、血流も増えるという絶大な効果を発揮します。そしてその努力が実って相手を圧倒したときの満足感、それは自分だけのものではなく、ふたりの心を和ませるのです。

田辺さんもそうでしたが、私の知る限り、ユーモアに溢れた人に共通しているのが、比較的はっきりとものを言う人が多いということです。米国人ではありませんが、やはり自分の意見や考えをはっきりと言い、それでも嫌われずに親しみをもたれるには、ユーモアは欠かせないのかもしれません。

この一〇年で世の中は大きく変わりました。日本式の根回し交渉はもはや通用しなくなり、互いに本音で論議するのがグローバル・スタンダードになってきました。私たちは、もっと積極的にユーモアを愉しむべきなのです。

もう一つ別のユーモア・センスの磨き方

今まで真面目一筋で生きてきた人にすれば、「ユーモアを愉しめ」と言われても、そう簡単にはいきません。私の場合は、田辺茂一さんや今日出海《こんひでみ》さんのような達人にしごかれ、身構え緊張しながら、かろうじてユーモアのセンスを磨いてきたのです。

しかし、「何も今さら」などと決して考えないことです。高齢者になればなるほど、ユーモアの効用は増大します。ユーモアには常識や良識、雑学や表現力が必要だと言ったように、ユーモアの達人になるには常に社会の出来事や人間を観察する必要があるのです。あらゆるものに関心を持って頭を働かせるのですから、これほど老化防止に役立つものはありません。

私の知人に川柳にチャレンジした人がいて、機会ある度に披露してくれるのですが、最初はこの川柳のどこが面白いのかと首を傾げるばかりでした。

根っからの真面目人間でしたから無理もない話なのですが、それでも手紙の末尾などで披露するところが、彼の真面目なところです。私は面白くないとも言えませんから、川柳の話には触れないようにしていたのですが、彼のほうからも言ってきません。

ところが、そんな彼の川柳が、数年もすると次第に面白くなってきました。するとそれまでは川柳に一切触れなかった彼が、「どうです？」と私に聞いてくるようになったのです。

後になって聞いた話では、最初のうちは川柳の会のメンバーに「こんなものは川柳じゃない」とけなされながら、ほかの人の作品に感心するしかなかったといいます。それでも続けるところが彼の真面目さで、「いつかみんなを笑わせてやる」との一念で努力を重ね、ようやく評価され始めたのです。

そうなると不思議なもので、日常の会話にまで微妙な変化がでてきます。それまでは常に真面目な姿勢を崩さないような話し方をしていたのが、話の途中でジョークを言うわけではないのに、どことなく会話にゆとりが生まれてくるのです。

会話に遊びができたといってもいい。これはとても大きな変化で、私は、彼への親しみの度合いがずっと大きくなりました。人を笑わせることができるという自信によって会話に余裕が生まれ、それが相手に親しみを感じさせたわけです。

ユーモアのセンスを磨くことには、こうした効用もあります。ぜひともチャレンジしていただきたいのですが、なかには「自分にはユーモアのかけらもない」と確信を持っている人もいるようです。

そのまま放っておくといち早く老人性痴呆の仲間入りをする人ですが、せめてそれを避けるためには、他人のユーモアやジョークの良き受け手、素直に面白いと笑える人になることです。

ユーモアは一種のサービスだと言いましたが、そのサービスを受ける側のマナーが、ユーモアを笑い、愉しむことなのです。

何人かで仕事の打ち合わせなどをしているとき、若い部下がジョークを飛ばすと、「仕事の席にも拘《かか》わらず、ジョークとは何事か」といった表情でギョロリと睨《にら》む上司がいます。そんな人の老後はきっと、うつ病や痴呆が待ち構えています。

「仕事の席にも拘わらず……」「重要な会議にも拘わらず……」

この「にも拘わらず」が問題で、ドイツには「ユーモアとは、にも拘わらず笑うこと」という言葉があります。たとえば……と言われて私がしばしば例に引くのは、「葬儀にも拘わらず」です。

昭和五十九年（一九八四）、私の母、輝子《てるこ》は八十九年の人生を全《まっと》うし、「葬儀は嫌だ。どうしてもやるなら無宗教で」との母の遺言に従って葬儀を執り行いました。「葬儀をしないで遺骨を飛行機でまいて欲しい」と言っていたのですが、当時は遺骨をまくことは法律で禁じられていました。

母の葬儀で、入江相政《いりえすけまさ》侍従長がユーモアたっぷりに、本来はひとり一回だけとの厳格な決まりのある宮中の歌会始めに、あの手この手を使って二度も出席したエピソードを披露してくれました。

いかにも母にふさわしいエピソードに、私たち親族だけでなく、母を知る参列者の人たちからもドッと笑いが起きました。こんな笑い声のある葬儀なら、きっと母も草葉の陰で満足しているに違いないと、私は思ったものです。

もちろん母が高齢だったこと、人生を堪能《たんのう》し尽くして亡くなったこと、母の性格などを考慮してのユーモアであり、会場の笑い声ですが、この「にも拘わらず」の笑いこそ、緊張を解き、和やかな親しみを演出するものなのです。

その証拠に、葬儀の後、会場で笑ってくださった多くの人に「いいご葬儀でしたね」と言っていただきました。いい葬儀を演出してくれたのは、入江さんのユーモアと、それを受けて笑ってくれた人たちなのです。

ユーモアを理解できず、ジョークを嫌う人たちに明るい老後はありません。せめて他人のユーモアに笑い、ジョークに「うまい！」と反応できる良き受け手になってほしい。それがユーモアやウイットのセンスを磨く第一歩になるのですから。

「一笑一若、一怒一老」で開けっぴろげに生きるヒント

「最近の若者ときたら……」

と、大人たちが若者たちの姿を見ては嘆く。私たちは代々、こうして若者たちへの嘆きを繰り返してきました。確かに明治維新のように、二十代の若者が活躍した時代に生きた人たちや、戦争の苦しい体験のある人たちが次世代の若者を「だらしがない」「根性がない」などと嘆くのはわかるような気がします。

戦後の恵まれた時代に育った親たちもまた、「今の若者は」と嘆いているのですから、これは不思議です。どうも私たち人間には、自分の子どもの頃のほうがしっかりしていたし、充実していたと思い込みたがる傾向があるようです。

だからこそ、自分はろくに勉強しなかったのに子どもには勉強を強制したり、子どもの意見に耳を貸さずに親の意見を押しつけたりするのかもしれません。登校拒否児童、少年犯罪の増加、一〇〇万人を超えるともいわれるフリーターなど、世の親たちを嘆かせる若

者たちの現象が目立つなかで、私が注目しているのは、今の若者たちが実によく笑うことです。

お笑いブームと言われたのはだいぶ以前のことですが、今やそれがすっかり定着し、お笑いタレントを目指す若者たちも急増し、テレビでもお笑い番組が氾濫《はんらん》しています。二十歳前後の若者たちがこれほど笑う国は、多分世界中で日本だけでしょうし、日本の歴史始まって以来のできごとでもありましょう。

こうした現象の背景に何があるのかといった分析は専門家にお任せしますが、私にはかつてなかった豊かさと平和の象徴のように思えますし、こうして若者が屈託《くったく》なく笑える国の将来も私は危惧《きぐ》してはいません。

そんな若者と対照的に、お年寄りやお年寄り予備軍は笑いから縁遠くなっています。国は膨大な借金を抱えて高齢者の面倒見どころではなさそうですし、増税や年金の破綻《はたん》などの噂《うわさ》も気になります。笑うどころか、うつ病患者や高齢者の自殺は増える一方です。

しかし、そんなことを心配してみたところで、個人ではどうすることもできません。「ケ・セラ・セラ、なるようにしかならないさ」と、笑い飛ばすのがいちばんです。不安や怒りは、人をどんどん老化させていきますが、笑えば笑うほど若返ります。

これが「一笑一若、一怒一老」、何やら中国の格言めいた言葉ですが、私の造語であり、いわば座右の銘でもあります。

「大いに笑えば一歳ずつ若返り、怒ったり悲しんだりすれば一歳ずつ老いる」

落語を聞きに行くのもよし、若者と一緒にお笑い番組を見るのもよし、おおいに笑って不安も怒りも吹き飛ばしてしまえばいいのです。「笑う門には福来る」と言いますが、笑う年寄りには若さが訪れてくれます。

もちろん医学的な裏付けもあります。笑うことによって、ホルモン・バランスや自律神経の働きが整い、これが若さをもたらせてくれるのです。

ちょっと、あなたのお知り合いの顔を思い浮かべてみてください。いつもにこやかに笑っている人と、グチや文句ばかり言っている人と、どちらが若々しく見えるでしょうか。

答えは明白です。

「一笑一若、一怒一老」

還暦を迎えたら、この言葉を座右の銘にしてはいかがでしょうか。

第4章　メモの習慣で衰える脳細胞を活性化する

メモをとるだけで心が落ち着く不思議

世の中には、メモ魔と呼ばれる人たちがいます。何でもかんでもメモするために、手帳はいつも真っ黒、白いページを汚すことに生き甲斐《がい》を感じているかのような人たちです。と、まるで人ごとのように述べていますが、実は私もメモ魔、それも正真正銘、「本家メモ魔堂本舗」の二代目メモ魔なのです。

私の父、斎藤茂吉のメモ魔ぶりはすさまじいばかりで、作歌も随筆もすべて手帳から湧き出していました。その手帳を、あるとき中国地方の山陰で紛失し、執念でそれを探し出すまでの経緯は父の随筆にありますが、父にとって命の次に大切なものが手帳だったのです。

その遺伝子を受け継いだ私もまた、常に内ポケットには手帳を忍ばせています。たとえば旅。飛行機の座席に座るや早速手帳を取り出し、便名や行き先、機種などを記入し、さらにその飛行機が何分遅れてどんな方法で離陸したかなど、詳細にメモします。

これは前述したように私の趣味の一環ですから、誰もが納得してくれます。ところが自分自身でも説明に困るのは、たとえばホテルの部屋の状況で、私の手帳には部屋にあった冷蔵庫や便器のメーカーから、飲んだジュースやビールのメーカー、シャワーが固定型かハンド・シャワーか、水の勢いはどうかなどまで詳細に記入されるのです。もちろん食事のたびにメニューや味もメモします。

「いったい、何のために？」そう問われても答えようがありません。あえて答えるとすれば、後に何かに旅のことを書くときなど、多少の彩《いろど》りや雰囲気を伝えるのに役立つかもしれないということになるでしょう。もっとも本人にすれば、役に立つかどうかではなく、書かないとどうも落ち着かないために書く。これがメモ魔のメモ魔たる所以《ゆえん》だといってもいいのかもしれません。

また私には、本や雑誌を読んでいて、これはと思う部分に栞《しおり》を挟んでおき、読み終わったあとで手帳に書き写す習慣があります。ずいぶん後になって、それが書くことを覚えるためにいい方法であることを知りました。名文の作家の文章を写しているうちに、自然に文章が巧《うま》くなるというのです。

もちろん私にとっては、そんな効果よりも、ただそうしなければ気がすまないという、ただそれだけの文字通りの習慣でしかありません。また手帳は人様に見せるものではありませんから、昔はしばしば母の悪口も登場しました。

「また無理難題だ。こん畜生」と、ほぼ決まり文句で登場するのは母親への切り返しです。家内が長電話をしようものなら近くにいってドスンドスンと地団駄を踏むような母親で、人様に「ごめんなさい」と謝ったこともありません。そんな母と家内との板挟みになった私は、こうしてメモで憂《う》さを晴らし、うつ病になるのを防いでいたのかもしれません。

嫌なことがあったら心に溜《た》めず、メモをとったり、日記をつけたりしてはいかがでしょう。たったこれだけの行為で、なぜか心が落ち着いてくるもので、これはメモ魔の大いなる特典のひとつといえるはずです。

生きがいにつながる好奇心の育て方

私にとって、未知の情報を知るほど愉しいことはありません。好奇心の大切さについてはすでに述べましたが、好奇心や探求心は、老化のスイッチをしばしの間、オフにしてくれるのではないでしょうか。

そしてメモ魔の手帳からは、この未知の情報が次々とこぼれ落ちてくるのです。たとえば旧ソ連に行ったときのことです。部屋に着くといつものごとくメモとりが始まりますが、洗面台についてメモっているときに、昨日のホテルでも同じことをメモったことに気づきました。洗面台に栓がないのです。洗面台に栓があるかないか、あればゴムか金属か、これもまた私のメモの対象なのです。

ひょっとしてと思い、次のホテルでもその次のホテルでも洗面台を真っ先に調べると、どこにも栓がありません。

「なぜソ連では、洗面台に栓がないのか？」

私の脳のなかでは、この不思議な現実がどんどん大きく膨《ふく》らんでいきます。こうなったらもういけません。まるで四、五歳の子どものように、なぜなのかを知りたくなります。人に訊《き》き、書物をあさっていると、ソ連の医学書に興味深い一節を見つけました。

「洗面台には栓がないほうが衛生的である。栓をつなぐ鎖が細菌の巣になるためである」

なるほど、そういうことだったのかと、納得。果たしてほんとうにそのために栓がなかったのかどうかは別問題で、それらしき解答を発見したことが私には喜びなのです。

もっとも、「栓がないほうが水の節約にもなる」と書かれていたのには、どうしても首を傾《かし》げざるをえません。現に栓がないために、手や顔を洗うときにはジャージャーと水を流しっ放しにしているのですから。

このように手帳からは、次々と疑問が飛び出します。普通なら見逃してしまうことも、メモをとることによって気づくのです。なぜこの国のホテルのシャンプーはどこも同じメーカーの品なのか。部屋にスリッパのある国とない国があるのはなぜかなど、他愛のない疑問ばかりです。

「そんなことを知ってどうするんだ。何の役に立つんだ」

そう問われても、私は答えを持ち合わせてはいません。

ただ、メモをとることによって気づく、他愛のない疑問に頭を悩ませ、ときには人に尋《たず》ね、いろいろと調べることが、私の脳を活性化してくれていることは確かだと信じているのです。

米寿をこえた私がボケない理由

さらに七十歳を過ぎる頃になると、このメモがずっと実用性を増してきます。数日前にお会いした人の名前を忘れ、恥をかくことも多くなりますが、そんなとき、

「最近は年のせいで、すぐ忘れるようになりまして……」

などと年のせいにして平気でいる人もいます。これはいけません。相手に失礼というだけでなく、自分の脳細胞がどんどん錆《さ》びついていくのを放置するようなものです。

相手の立場に立って考えてください。誰だって「名前を忘れた」と言われていい気持ちはしません。それよりも相手は、

「名前を忘れるくらいなのだから、当然、先日の話の内容も覚えていないだろう」

と、思うでしょう。その結果、その人は難しい話、内容のある話をしてくれなくなります。

「どうせ忘れるのだから、話しても意味がない」

こうなると、たまに会っても時候の挨拶程度で終わってしまい、ふたりの関係はそれ以上に親密にはなりません。

そこでメモの登場です。初対面の人とお会いしたら、名前はもちろん、特徴、話の内容などをメモしておき、次にお会いする機会ができたら、その前にこのメモを読めばいいのです。

その効果は驚くほどで、相手は、

「もう年なのに、もの覚えのいい人ですね」

と、感心してくれますし、年を意識しないで話してもくれます。たとえばあなたがサークルに参加する場合など、こうしてメモを活用するかどうかが、多くの友人ができるか否《いな》かの決め手にもなります。

さらにメモを読み返すことによって、そのときの状況や会話の内容を思い出すことができます。

これが重要で、脳細胞を刺激し、自分で自分を叱咤激励《しったげきれい》することにもなります。

「おいおい、そう簡単に忘れてくれるなよ」

メモを読むことは、脳細胞にこう働きかけているのと一緒です。この繰り返しによって老人性痴呆になるのを引き伸ばしていくのです。

私はそろそろ九十代に突入しますが、それでも、「あの人はもうボケているから」と言われないのは、メモ魔であることが幸いしているためです。

一度やったらやめられない、統計をとる面白さ

「仕事に一生懸命で、趣味がない。どうすれば適当な趣味が見つかりますか」

何とも難しい質問だと思うのですが、平気でこんな質問を浴びせてくる人がたくさんいます。もちろん、「趣味がありませんから」と平然としている人と比較すれば、ずっと前向きなのですが、聞かれた私が、「飛行機が面白いですよ」などと、自分の趣味を押しつけるわけにはいきません。

そこで普通なら、遊びやサークルへの参加などをすすめるのですが、以前、几帳面《きちょうめん》で粘着質タイプの人にタバコの吸い殻拾いをすすめたことがあります。家の前の道路で、数百メートル程度に範囲を決め、毎日の日課として吸い殻を集めるのです。最近は喫煙マナーもずいぶん良くなって道路にはかつてほど吸い殻は落ちていませんが、当時の道路は吸い殻だらけでした。吸い殻拾いは街の清掃にもなります。

もちろん、ただ拾うだけでは意味がありません。統計をとるのです。いちばん吸い殻が

多いのは何曜日か、春夏秋冬ではどうか、何月が多いか。これを何カ所かで数年も続ければ、きっとマスコミが取材に来て、あなたは吸い殻博士ですよ、とほめるでしょう。

これは冗談ではありません。吸い殻拾いが趣味になるかどうかはわかりませんが、毎日目的を持って自主的に行動することが大切なのです。几帳面で粘着質タイプの人のなかには、統計をとる、記録するという作業に、このうえない喜びを感じる人たちが少なくありません。私もそうした仲間のひとりで、近ごろは体脂肪が測れる体重計を買ってきて、自分の体脂肪の記録をとったりします。

もちろん市販の体脂肪計では正確な体脂肪は計れませんし、そのときの状況、たとえば水分をたくさん摂る前と後では数値が違ってしまうことも知っています。それでもなるべく同じ条件で計ろうとすれば、だいたいの傾向はつかむことができます。

そして体脂肪が徐々に増えたり、あるいは減ったりすれば、次は原因探しです。手帳を開けば毎日食べたものはメモしてありますから、これは比較的簡単で、「あの肉とお汁粉がいけなかったのか」などと自分で犯人を推理して喜んでいるわけです。

犯人のだいたいの見当がつけば、体脂肪が安定したところで、その犯人と思われるものをもう一度食べてみます。そこでまた同じように体脂肪が増えてきたとしたら、これはもうズバリ的中。私の推理はみごとに当たったことになります。

私はこんな遊び、それも自分のからだを使っての人体実験をしばしば愉しんでいます。ばかばかしいと思う人もいるでしょうが、私はこの人体実験によって、多少高値ではありますが、安定した体重や健康を維持できているのだと考えています。

体脂肪計ひとつでこれだけ愉しめるのですから、吸い殻で愉しめないはずがありません。たとえば「小春日和の日には吸い殻が多い」「春には月曜日、秋には金曜日が多い」などの結果がでることを想像しただけでも、何やら愉しくなってきます。

もちろん吸い殻ではなく空き缶拾いでも構いませんし、友人や知人のタバコの吸い殻集めでもいいでしょう。そういえば、もう二、三十年も昔になるでしょうか、吸い殻占いが流行《はや》ったことがあります。九十度に曲がった吸い殻の人の性格はどう、口紅をべっとりつける女性はどうといった性格判断ですが、本気で取り組めば吸い殻と性格の関係を解明できるかもしれません。

夢を持ち続けると長生きする理由

メモをとり、記録し、統計をとる。この三つの行為は密接に関わっているようで、メモ魔は記録魔でもあり、統計魔でもあるのが普通です。ところがタバコの吸い殻集めなどのモノの収集となると別で、メモ魔がかならずしも収集魔ではありませんし、収集魔がメモ魔であるともかぎりません。

それなのに私は、かなりの収集魔でもあります。集める対象も雑誌のバックナンバーなど広範囲に及び、引っ越しでずいぶん整理したはずなのに、倉庫に預けているだけでもダンボールに百箱はあります。途方もない数ですし、だいたい使いもせずに預けているだけでどんな意味があるのかと、ときに批判の対象にもなります。

しかしこれには、深いワケがあります。私には、この世にいる間にぜひとも実現したい大きな夢があります。飛行機博物館を造りたいという夢があるのです。戦争の影響がいまだに尾をひいているのか、日本には本格的な飛行機の博物館がどこにもありません。悪いのは戦争をしかけた人たちで、飛行機ではありません。飛行機ファンとして、ぜひとも純粋な飛行機の博物館がほしいのです。

莫大な資金を要しますから、もちろん個人の力では不可能ですので、国か都かが飛行場に近い羽田《はねだ》あたりに造ってくれないか。その陳情のために、今でも初対面の人に署名をお願いしています。

石原《いしはら》東京都知事がカジノを造ろうとしているとのウワサが流れていますが、いっそのこと一緒に造ってもらえないものでしょうか。羽田に近い臨海副都心なら、飛行場を見学にきた子どもたちが立ち寄るコースにもなります。大人の遊び場を造るなら、同時に子どもが夢を育《はぐく》む場所も造ってほしいものです。

世界の空を飛んでいる飛行機の実物、さらにはパイロットやスチュワーデスの衣装の変遷、運転シミュレーションなどのほか、国立や都立のパイロット養成スクールを併設してもいいかもしれません。

夢の話をすると切りがありませんのでこの辺でやめておきますが、もしその夢が実現したとき、私がひとりの熱狂的な飛行機ファンとして協力できるのが、私のこのダンボールで、その大半は飛行機関係の雑誌のバックナンバーや、飛行機関連グッズなのです。

一例を挙げれば、航空会社のオリジナル・フライトバッグだけで四〇〇はあります。これだけ集めるためには家内に買い物もさせずに、ひたすら航空会社を回るしかありません。

「私はあなたのフライトバッグの犠牲になった」

今でもときおり家内から不満が漏れるほどで、これが収集魔の実態というものです。さらに機内の雑誌や食事のメニューはもちろん、ナイフ、フォークからコップまで、入手可能なものはすべてあります。トイレの備品などもいただけるものはいただきました。つまり私の収集品を整理することによって、航空会社別、時代別の機内グッズが展示できることになります。

なかには女性の生理用品まであります。これにはさすがに私も気づかなかったのですが、女優の高峰秀子《たかみねひでこ》さんと対談したときに教わりました。以来、飛行機に乗るたびにお願いして二個ずつほどいただき、これが今ではダンボールに二箱にもなっています。もちろん年月日や航空会社やフライトナンバーなども書いてあります。この生理用品で何といっても世界一だったのが日本航空で、現在は経費節減のためにやめてしまいましたが、他社が市販品そのままなのに特別にコンパクトに包装し、鶴のマークまでついていました。

まさか生理用品まで展示できるとは思っていませんが、このように百個のダンボールは飛行機博物館ができたときに役立つ、私の宝物なのです。むろん古いプロペラやタイヤも持っています。

あなたもいつ叶《かな》うかわからない夢を持ってください。それが叶わなければ死んでも死に切れない、実はそう思うことが、元気で長生きするための秘訣だと私は思っております。

「慣れず、甘えず、流されず」の行動哲学

メモ魔、記録魔、統計魔、収集魔と、これだけ「魔」という文字がつくと、我ながらなんと迷いの多い人間なのかと、つくづくあきれてしまいます。大変だったのは家内で、きっと私を「悪魔」だと思ったこともあったかもしれません。

しかし、ここで注目してほしいのは、これら四つの「魔」は、いずれも主体的な自主的な「魔」であることです。すべて自分が進んで実行しないとできないことで、そこに大きな価値があります。

私たち人間は実に怠惰な動物で、無意識のうちに楽なほうへ楽なほうへと流れていきます。そしてこの傾向は、年とともに顕著になっていくのです。たとえば、定年退職を迎えた多くのサラリーマンは、何もやることがなくなった直後には、「何かしないと」といった強迫観念にも似た焦りに襲われるといいます。趣味のなかった人たちも、居たたまれない感情のなかから、何らかの方向を見つけることが少なくありません。

しかしそのチャンスを逸してしまい、四カ月、五カ月、半年と過ぎるうちに、次第に何もすることのない、いわば悠々自適な生活に慣れてしまいます。制約のない暮らしに慣れてくると、今度は自分自身に対する甘えがでてきます。

「別に忙しいわけでもないし、今日やらなくてもいいか」

「わざわざ雨の日にでかけることはないよね、今度にしよう」

こうして楽なほうへ楽なほうへと流れていきます。「今日はやめよう」「今度にしよう」などと、自分で選択しているような錯覚に陥りますが、これは自主的な選択などではなく、ただ流されているだけなのです。

このように、慣れは甘えを生み、甘えると自主性をどんどん失って、冥土街道を流されていきます。六十歳も後半になったら、この流れに巻き込まれないよう、常に「慣れず、甘えず、流されず」を、肝に銘じなければいけません。油断すると流されてしまうのが人の習性で、常に意識して自主性を発揮している必要があるのです。自分で勉強会を主宰したり、あるいは積極的に趣味を愉しんでいる人なら問題ありません。

しかしそうした主体的な活動をしていない人にとっても、もっともとっつきやすいのが、メモや統計をとること、記録すること、モノを集めることなのです。

「慣れず、甘えず、流されず」を実践するために、メモ魔、記録魔、統計魔、収集魔のいずれかになってみてはいかがでしょう。そしてやると決めたなら、徹底してやることが大事です。

第5章　死ぬまでつき合える友を持つ

老後の備えは「貯友」にあり

いくつになっても活発に活動しているお年寄りもいれば、まるで世捨て人のように家に閉じこもってしまうお年寄りもいます。明るく愉しく過ごしている人と、文字通りの「余生」を送っている人です。

この違いはどこから来るのでしょうか。もちろん、その人の性格や価値観などの違いもあるでしょうが、直接的には親しい友だちの数の違いだといってもいいでしょう。友だちが多ければ外出する機会は必然的に増えますし、友だちが少ないとどうしても家にいることが多くなり、そうした習性が身につくと、外出が億劫《おっくう》になってきます。

そうなると、生きる目的を失ってしまうのも時間の問題です。第二の人生をおおいに愉しもうといった気持ちはいつの間にか失われ、「生きるために生きる」ようになってしまいます。生きるために生きるとは、「寝たきり老人にならない」「ボケ老人にならない」「病気にならない」ために生きることで、自分のからだのことばかりに関心が集中し、何かといえば医師に頼るようになります。

こういうお年寄りを、「本末転倒老人」と呼びましょう。普通の人なら、いつまでも元気で長生きしたいと考えれば、なるべく活動的、行動的であろうとするものです。ところが本末転倒老人たちは、そうした行動はとりません。家に閉じこもるという寝たきり老人やボケへの近道を歩みながら、元気で長生きしたいと強く願うのです。

そのために医師のアドバイスを素直に受け入れます。早寝早起き、規則正しい生活、毎日の散歩、年齢相応の食生活など、お決まりのアドバイスを忠実に実行します。数少ない友人からせっかくの誘いがあっても、外出が億劫なことや生活リズムを乱すのが嫌で断ってしまい、やがて誘いの声がかからなくなります。こうしてただ、生きるために生きるようになってしまうのです。

こうした本末転倒老人はたくさんいます。それどころか最近では、「隠れ高齢者」が急増しているといいます。隠れ高齢者とは、みずから社会や近所との交際を断ち、社会からも忘れられた存在になってしまうお年寄りのことです。

以前、七十代の夫婦が誰も気づかないままに亡くなっているのが発見されました。ご主人が心臓発作で亡くなり、そのご主人が世話をしていた寝込みがちの奥様がさらに一週間後ぐらいに衰弱死したという痛ましいケースです。それでも誰も気づかず、ようやく発見されたのはさらに一週間後だったそうです。

お年寄りが誰にも気づかれないままに死んでいく。何とも寂しい話ですが、最近こうした孤独死が目立って増えています。あえて周囲との関係を断とうとする隠れ高齢者が増えているためなのです。

この隠れ高齢者にせよ本末転倒老人にせよ、現役時代にはさまざまな人たちと交流し、多くの人生ドラマを演じてきたはずです。それなのになぜ、ファイナル・ラウンドに近づくにつれ、暗い人生になってしまうのでしょうか。

私はその理由を、老後の備えが不足しているためだと考えています。老後の備えといえば「貯蓄」と思っている人が多いのですが、その貯蓄と同じように大切なのが「貯友」です。

ところが、リタイアに備えて友だちづくりに励む人はめったにいません。リタイアしてから友だちを探せる人たちもいますが、会社人間、仕事人間だった人ほどそれができず、寂しさを募《つの》らせることになります。

しかも現役時代には親しくしていた人たちとも、次第に疎遠になっていきます。お互いに別々な第二の人生を歩むのです。その第二の人生が思い通りにいかないとなれば、余計に現役時代の友人を避けるようにもなります。

こうして友人のいない高齢者がどんどん増えていくのですが、これではいけません。五十代になったら、積極的に「貯友」に励むことが大切です。もっとも手っ取り早いのは学生時代の友人との再会です。小学校から大学まで、クラス会や同窓会に積極的に参加するだけで旧交を暖めることができますし、そこで気の合った人たちとはときどき会って食事をするなどの機会を設ければいいのです。昔親しかったというだけで、すぐに心が開くはずです。できることから始めるのが大事です。

手っ取り早く友を増やす方法

「貯友」のもうひとつの方法が、サークルに参加することです。ただし飲みながら情報交換をするだけという、仕事のための異業種交流会などではあまり意味がありません。仕事を辞めれば、そこで知り合った人との関係が希薄になることが多いためです。もっともいのはやはり趣味のサークルで、これはテーマが趣味ですから、退職等に関わりなく関係は継続します。

そこで再び、「とくに趣味がない」という問題がでてきますが、趣味のない人が五十代までに趣味を探しておくことも、老後への大切な備えなのです。そのためには、心得ておくことがふたつあります。

ひとつは、知らないことを恥じない気持ちです。サークルに入ると、メンバーはみんな好きでその道を研究している人ばかりです。たとえば野鳥を観察する会に入ったとしましょう。メンバーの人たちは当然、野鳥についての豊富な知識を持っています。そんなベテランと比較して、自分も早く知識を身につけないといけないなどと考え、鳥類図鑑と戦うというのでは、とても長続きしません。

「好きこそものの上手なれ」という言葉がありますが、好きになれば、愉しいと思えば、知識や技術はかならず後からついてきてくれます。つまり下手でもわからなくても、そのサークルで活動しているときに愉しいと思えるかどうかが重要なのです。

そして愉しいと思えたら、そこであなたは終生つき合っていかれる趣味と巡り合ったことになります。後は知らないことを恥じずに、どんどんメンバーの人に聞けばいいのです。わからないことを質問することは、新入りのマナーでもあります。

趣味の達人は、その趣味について語るのが大好きな人たちです。しかも初心者に教えるときが、自分が趣味の達人であることを自覚し、満足できる瞬間でもあります。

「あまりに初歩的なことばかり聞いたのでは申し訳ない」

などと勝手に解釈せず、どんどん訊《き》いているうちに、関係も親密になっていきます。さらに「貯友」の場としてサークルを活用するためには、二次会等に出席することが欠かせません。たとえばあなたが飲めなくても参加することによって、メンバーの人となりもわかれば、親しみも増し、メンバーとあなたとの垣根も次第に低くなっていきます。

趣味を探す第二のポイントは、見切りを早くつけることです。愉しいとも思わないのに「入ったばかりでやめるのは悪いから」などと、ずるずる引きずられてもいいことは何もありません。最初のうちは愉しさもわかりませんから、愉しいか愉しくないかの判断ができるまで、半年ぐらいは参加する必要がありますが、それで愉しくないと確信したら、次のサークルを探すことです。

私の知人に、素人の蕎麦《そば》打ち名人がいます。現役時代は仕事一筋の人で、定年が迫る二年ほど前になって、慌てて趣味探しを始めました。まずはジャズを愉しむ会でしたが、これはメンバーがオタクタイプでとてもついていけないと、すぐにやめました。次いで入ったのが平家物語を読む会ですが、声を出して朗読するのが嫌だと、これも三回ほどでやめたそうです。そして次は、西洋絵画を愉しむ会です。

と、ここまで言えばおわかりのように、この方は、趣味とは芸術と関わることだと勘違いしていたのです。

サークル見学ツアーのすすめ

趣味のない人の履歴書の趣味の欄には、たいていは音楽鑑賞とか読書、絵画鑑賞などと記入されますが、この人にとっては趣味とはそういうものだったのです。私は早速、この人に漫画家の横山隆一さんの趣味のことを語りました。脛毛収集の趣味は、こういうときにとても大きな効果を発揮します。

「えっ、そんなの趣味って言えるのですか」

と、案の定、驚き、黙り、そして感心するのです。これを横山さんの漫画にちなんで「フクちゃん効果」と勝手に呼んでいますが、この趣味の話をすると、誰もが一様に驚き、沈黙し、感心するという反応を見せます。

「そうなんですね。趣味っていうのは自分がよければ何でもいいんですね」

彼も気づきました。それからの彼は、前にも増していろいろなサークルに顔を出すようになりました。入会するのではなく、「見学させてください」と様子を見に行くのです。

自分でサークル見学ツアーと呼んでいましたが、文字通りの趣味探しの旅です。

そして面白いことに、彼が取りつかれたのが蕎麦打ちだったのです。いつものように見学に行ったところ、「せっかくだから打ってみませんか」と勧められ、「それじゃあ」とチャレンジしてみたのが、彼に言わせれば「運命の出会い」だったそうです。

何人かが親切に教えてくれ、彼も一生懸命打ったのですが、いざ茹《ゆ》で上がったのをみて唖然としたといいます。ほかの人の打った蕎麦は細くて長い蕎麦なのですが、彼の蕎麦は茹でている間にぶつぶつ切れ、五センチ蕎麦になってしまったといいます。

「あのときは愉しいと思うゆとりもなく、それ以上に、何で自分にはできないんだって悔しさでいっぱいでした。ですが私の失敗がきっかけとなって、そういえばAさんもそうだったじゃないか、Bさんもぶつ切れ蕎麦で……などと、誰もが失敗していることを知ったのです。じゃ、私だってやればできるようになるのか、よし、次は成功させてやるといった気持ちになってきたんです」

彼の場合には、愉しさを感じる以前に悔しさが先行し、名誉挽回、屈辱を晴らすための蕎麦との戦いが始まったわけです。

「三回ほど失敗を繰り返しました。それでも続いたのは、みんなが励ましてくれたことと、みんなの打った蕎麦が旨《うま》かったからです。打ち終わると、その蕎麦を食べながらの蕎麦談議になるのですが、ダシ汁の取り方から返しのつくり方、道具へのこだわりなど、ただの遊びだと思っていた蕎麦打ちの奥の深さを知ったのです。そして四回目、初めて蕎麦らしい蕎麦が打てたときの感激は今でも覚えています。全員が拍手してくれて……」

趣味との出会いとはこうしたもので、失敗が仲人役を果たすこともあるのです。あなたも勝手な思い込みは捨て、白紙の状態でサークル見学ツアーに出てください。地方自治体の発行している新聞などの機関紙を読めば、あなたの回りにも数多くのサークルがあることがわかります。どんどん電話して、「見学させてください」と言えばいいのです。

そして他人にどう思われようと、自分が終生つき合えると思えば、趣味の対象は問いません。脛毛収集の趣味はそのことを私たちに教えてくれていますが、残念なことに脛毛集めのサークルなど聞いたことがないのが唯一の欠点と言えるかもしれません。

嫌な人とはどうつき合うか

人が集まる場所には、好感を持てる人もいれば、顔を見るのも嫌な人もいるのが世の常です。せっかく愉しめるサークルが見つかったのに、人間関係が嫌で去って行く人も少なくありません。そしてそんなことが二度、三度と続くと、すっかり人間不信に陥り、前述の隠れ高齢者になってしまうこともあります。

しかし私に言わせれば、この「顔を見るのも嫌だ」と思い込むことは、単なる老人のわがままに過ぎません。年をとるほどに依怙地《いこじ》になっていく人と、穏やかで心も広くなっていく人がいますが、必要以上に誰かを嫌うのは、前者に属する人たちです。

もちろん誰にでも苦手なタイプの人はいるものです。私の場合、患者さんのひとりでもあった高名な文学者の先生がそのタイプでした。この先生が見えると聞くと、「うわ～、また一時間の講演か」と、逃げ出したくなりました。中国の話を、それも偉大な文学者の死因についてなどという難しい話を、延々と一時間も話すのです。

精神科医は話を聞くのが重要な仕事であることは十分に理解しているつもりですが、これはちょっと違います。専門的すぎて、私には興味もありませんし、ちっとも理解できません。

こんな場合にどうするかといえば、私はその人の良いところを探そうとします。世の中には何から何まですべて嫌な人というのは存在しません。どんな人にも良いところがあります。

この先生でいえば、まず驚くのはその熱心さです。本当の意味での学者なのです。講演を聞くためには数万円の会費を払わなければいけない高名な先生が、私ひとりのために講義してくださるのです。しかも帰りがけには診察料まで払ってくださいます。こんな人に文句を言ったのでは罰が当たります。

しかもこの先生は、どこで誤解されたのか、私が喜んで聞いていると思って話してくれているのです。

こんなふうに思うだけで、私の気持ちはずいぶんと変わってきました。「わあ、また一時間か」と思うのは同じですが、しばらく来ないとその人が懐かしくなるのです。どうしたんだろうと、また来てくれることを心のどこかで待ち望んでいる自分に気づきます。

このように、嫌だと思ったらその人の良い面を探すしか方法はありません。それをしないで自分から逃げ出したのでは、結局損をするのは相手ではなく自分です。それに良い面を探そうとすることによって、自然に人の良い面から見る習慣ができます。この習慣ができれば、顔を見るのも嫌な人の数は驚くほど減るものです。

初対面の人との失敗しない接し方

「あの人は、誰にでも同じように接する裏表のない人だ」

こういえば立派な誉め言葉で、たとえば上司にも部下にも同じように接する管理職であれば誰からも信頼されることでしょう。

しかしながら、私たちの日常の交流では、ともすると、この誰に対しても一緒ではうまくいかないケースが少なくありません。たとえば私は、女性にはかならず、

「この間お会いしたときより、お若くなりましたね」

と、挨拶することにしていますが、この言葉はたいていの女性を喜ばせます。ところが五%ぐらいは、愉しくするための冗談とは受け取らず、怒ったり誤解する女性がいます。

「斎藤茂太は、私に気があって、私のあとを追いかけている」

などと、とんでもない誤解を受けたこともあります。その女性にとっては、男が「前よりも若返った」などとおべんちゃらを言うのは、気のある証拠だったのです。それを会う

たびに繰り返すのですから、「私のあとを追い回す」となってしまったわけです。

これは私が、この女性が冗談が通じないお堅い人であることを見抜けなかったための失敗です。旅行作家という職業柄、遊び心のある人だと思い込んでしまったわけで、後になってその方の文章を読み、「しまった」と思いましたが、もう後の祭りでした。

こういう失敗を無数に重ねて学んだのが、相手によって態度を変えるということです。お堅い人には、やはりお堅く対応しなければいけません。ことにサークルなどに参加したときなどは、相手が自分に接するように自分も相手に接することが大切です。冗談をよく言う人には、こちらもジョークを交えて話し、あくまでも一線を画《かく》して話しかけてくる人には、こちらもそういう態度で接するのです。

もちろんそうした関係は親密になることによって変化してきますが、最初はとにかく相手が接するように接することが、友だちづくりの基本中の基本といえます。わが家には三人の嫁がいて、もちろん性格も三者三様ですが、私の家内はその三人にまったく違う態度で接することによって、まったく同じようにうまくつき合っています。

年をとっても恋心を忘れない

実に喜ばしいことで、最近では高齢者の同棲や結婚が受け入れられるようになってきました。ひと昔前なら、たとえば七十代同士の結婚となれば、

「いい年をして結婚だなんて、そんなみっともないことしないでください」

と、家族や親戚からも大反対されたものです。それでも老人ホームなどでは、恋愛問題のトラブルが生じるのは日常的なことでした。誰もが隠したがったために今ほど表面に出なかっただけのことで、異性に恋をするのは人間生きているかぎり続く本能なのです。

しかし現実は、まだまだ多くの問題をかかえていることは事実で、ことに問題は、民法が高齢者の結婚を想定していないことにあります。

早くに配偶者に先立たれ、孤独に暮らしていた男女が知り合い、一緒に生活できればどんなに素晴らしいか、と考えるのはごく自然のことです。独り暮らしよりも充実しますし、何よりも若返ります。しかも別々に暮らすよりも経済的でもあります。

ところがいざ結婚となると、途端に財産問題という現実的な話が持ち上がり、子どもたちの大反対に遭うことになります。結婚すれば財産の二分の一は配偶者にいってしまうのですから、子どもたちが反対する気持ちもわからないではありません。

そこで親たちは子どもを説得するために、財産分与を放棄する書類をつくるなどの生臭い仕事をしなければならなくなります。

すでにわが国は高齢社会に入っているのですから、こうした財産問題を抜きにした結婚のスタイルがあってもいいのではないでしょうか。そうなれば家族みんなに祝福されて、一緒に暮らすことができます。同棲と現在の結婚の中間に位置するような、そんな仕組みがあってもいいような気がします。

実は私は、子どもの頃から高齢者恋愛の素晴らしさを見ているのです。もうとっくの昔に亡くなられましたが、祖父の時代の病院の、高齢の婦長が、同世代の看護士の男性と恋をしていたことがありました。

その看護士はいつも婦長の部屋に入り浸りだったのですが、その当時の私には病院内は遊び場のようなものでした。そんな男女の話がしょっちゅう耳に入ってきたせいか、私は相当ませていたようで、「あのふたりは怪《あや》しい」などと言っていました。

この婦長はいつも生き生きとしている働きもので、私の家内もずいぶん彼女には助けられました。後になって考えれば、恋愛があの若々しさやバイタリティーを生み出していたのだと思います。

このことは、船旅を愉しむようになってひしひしと痛感しています。欧米人の場合、船旅の目的のひとつは恋人探しです。船旅を終えてからもおつき合いが続く場合もありますし、船のなかだけで恋愛を愉しんでいる人もいます。そのために船のなかでは、同じ年代の日本人と外国人とでは、外国人のほうがずっと輝いているのです。

ときにはこんな外国人の攻勢に、日本人が巻き込まれることもあります。数年前の船旅のときに、ある日本人の女性が、「うちの亭主があのマダムと怪しい」と言い出しました。私は密《ひそ》かにこの女性の処方に当たり、船の診療室の先生にアドバイスしたのでした。結局、彼女は船を降りるころには回復していました。

私が乗り合わせた船のなかでも、こうした人がときどき出るのですが、私が前面に出て患者さんを診るわけにはいきません。私が精神科の医師であることは多くの人がご存知ですから、アッという間に船内に噂が流れてしまいます。

しかし驚いたことにほとんどの船の診療室には、精神科で使う薬が用意してあります。

簡単な外科手術のできるような設備もあります。いないのは歯医者さんです。スペースの問題なのでしょうが、私の乗った船で歯医者さんがいたのは、クィーン・エリザベス二世号だけでした。

話が横道にそれてしまいましたが、精神科医も歯医者も無関係で、要は恋をしている人のほうがずっと活動的で愉しそうだということが、私は言いたいのです。船の上ではそれがよくわかります。外国人たちは、数カ月にわたる航海によって、数年分の恋のエネルギーを蓄えて帰るのかもしれません。

こうした恋愛ではなく、いわばお茶飲み友だち的な異性の友人を持つことも大切です。私にも家内公認の異性の友人が何人もいますが、この年になっても女性の友人と接するときには、同性と会っているときとは違った緊張感を感じます。何も恋愛ではなくても、この心地よい緊張感も、きっとホルモンのバランスを整えてくれるのだと思っています。

適量の酒が百薬の長であるように、適度な恋心は若さのエネルギーになります。

第6章　行きたいところに旅をする

旅好き人間がボケない理由

「あなたのいちばん好きなことは何ですか?」

こう問われたら、あなたなら何と答えるでしょうか。たぶん「旅行」と答える人がもっとも多いのではないかと思います。旨いものを食べて、ゆっくりと温泉に浸かる旅、文化も風習も違う異国への旅などポピュラーなものから、熱帯魚と戯れる旅、オーロラを鑑賞する旅など、ちょっと変わった面白い旅もあります。行く先や目的が違っても、旅は私たちに大きな効用をもたらしてくれます。

私は、人間は本能で、この旅の魅力を知っているのではないかと思っています。だからこそ、「旅は嫌いだ」という人がいないのです。そしてこの旅の効用をひと言で言えば、「非日常的な適度な脳への刺激」ということになるでしょうか。いうまでもなく私たち文明人は、日常的に極めて過度なストレスを受けています。このストレスがホルモン・バランスを乱し、免疫力を低下させることによって、生活習慣病などの病気を誘発し、老化や痴呆への道をたどるのです。

旅には、そうしたストレスを解消させる素晴らしい効果があります。行きたかった場所に行って心ゆくまでリラックスする、あるいはさまざまな未知との出会いによって、私たちは日頃のしがらみから解放され、そしてストレスからも解き放たれるのです。

このことが、旅の大きな魅力のひとつです。一般にはストレスというと目の敵にされがちですが、もしまったくストレスがなかったとしたら、脳の働きはどんどん衰えてしまいます。

家に閉じこもりがちのお年寄りが外出好きのお年寄りよりボケやすいのも、このためです。面倒な社会のしがらみとは一線を画して、悠々自適に暮らせれば、確かにストレスは少なくなるのですが、逆に刺激が急速に不足して脳が衰えてしまうのです。

ところが旅には、これまで体験したことのないさまざまな刺激があふれています。服を脱いで温泉に飛び込んだら、入口だけが別々の混浴だったり、見たこともない食べ物を勧められて困ったり、言葉がわからずに四苦八苦したりなど、脳への刺激には事欠きません。

しかもこの刺激が多種多様で、ひとつの刺激にずっとこだわっていられないことも旅の効用のひとつです。たとえば、せっかく買ったお土産をどこかに置き忘れてしまったとしましょう。これは相当なショックで、旅先でなければ過酷なストレスになるかもしれません。

ところが旅先になると、すぐに次の刺激が起こります。たとえばその日の夕陽の美しさに感動したり、豪華で美味しい夕食を愉しんでいるうちに、お土産を忘れたことなどすっかり忘れてしまうのです。そして、やがて旅が終わる頃には、お土産紛失事件は笑い話にさえなっているのです。

もっともまれには、ものごとが何でも悪い方向にと向かうことがあります。お土産を忘れたショックに耐えて宿に戻るバスに乗ると、そのバスが事故に巻き込まれて、三十分で着くはずのところが二時間もかかり、やっとの思いで空腹に耐えて宿に着くと、食事はすっかり冷えていて少しも美味しくない。腹を立ててせめて温泉にでもと、入った途端に足を滑らせて……。

まるで笑い話ですが、このようにマイナスの刺激ばかり続いたのでは、旅の効用どころか旅がストレスそのものになってしまいます。しかし普通は旅にはマイナスの刺激を補うに余りあるプラスの刺激があり、このために嫌なことをすぐに忘れることができるのです。

これが旅の最大の魅力で、マイナスのストレスはすぐに解消し、適度なプラスの刺激を受けることによって、脳もからだも別人のようにリフレッシュできるのです。

さらに旅には、マンネリ化しやすい日常生活に変化を与えるという効用があります。刺激の少ない生活が脳を衰えさせると言いましたが、脳を活性化してボケを防ぐには、なによりも変化のある暮らしが大切で、ことに定年退職後は意識的に変化をつくりだす必要があります。旅はそのための大きなポイントとなります。

六十歳を過ぎたら、一年に二、三回は旅に出る。これがあなたの老後に変化と潤いを確実に与えてくれます。

八十歳でエベレスト登頂を試みた母・輝子《てるこ》のバイタリティー

「旅は何よりの老化防止になる」

このことを私に身をもって教えてくれたのは、母、輝子でした。母は大正時代に中国やヨーロッパに旅していましたが、その後は諸般の事情で海外にはあまり出かけませんでした。

「茂吉がいたんじゃねえ」

ある対談でこんなことを言っていましたから、夫への遠慮があったのかもしれません。昭和二十八年に父・茂吉が亡くなるや、母の好奇心は途端に疼《うず》き始めたようです。もっとも当時は海外旅行は自由化されていなかったため、何枚もの書類に事細かに理由を書き、「渡航審議会」なる仰々しいお役所の許可を取らなければなりませんでした。

そんなこともあって、母より先に私がその審議をパスし、アメリカ、カナダ、ヨーロッパへ行き、次いで弟が『どくとるマンボウ航海記』という大西洋への船旅に、水産庁のたった六〇〇トンの小さな船で出かけて行きました。息子ふたりに先を越されて、母はきっと歯ぎしりして悔しがったことと思います。

そんな母が息子たちに負けじと、ヨーロッパに出かけたのは昭和三十五年でした。いったいいかなる理由をつけて審議にパスしたのか、母にまつわる大きな謎《なぞ》のひとつです。そして海外旅行が自由化されたのが、確か昭和三十九年、母の旅行熱はこの日を待っていたかのように、まるで坂道を転がり落ちる雪ダルマのように大きくなったのです。

「私はもう死ぬんですから、今のうちに旅に行かないとね」

と、私を脅迫しつつ、空港から家に帰る途中で、次の旅のプランを立てるといった状況でした。一例を挙げれば、昭和五十年、七十九歳の母は元旦を南極で迎え、翌年には八十歳でエベレスト四〇〇〇メートルまで登頂するといった具合で、旅先での武勇伝にも事欠きませんでした。

昭和四十七年だったと思いますが、母がソ連のイルクーツクで腸閉塞を再発し、手術することになりました。知らせを聞いた私は急遽《きゅうきょ》駆けつけましたが、手術は成功のうちに終わり、母は一命を取り止めました。

「旅先でこんな思いをしたのだから、これでちょっとは懲《こ》りただろう」

私は不覚にもそんなことを考えていたのですが、退院を許されて帰国する日、母は空港に見送りにきたイントゥリストに向かって、

「またちょいちょい来るからね」

と、平然と、かつにこやかに語りかけているではありませんか。私はこのとき、母の辞書には「懲りる」という言葉がないことを知ったのです。

また昭和五十二年、母は南米のペルーとボリビア国境のチチカカ湖で船に乗ろうとしていたところ、どうしたことか橋桁《はしげた》がはずれてしまい、母はチチカカ湖に転落、すぐに助けられたものの、ずぶ濡れになってしまいました。

そのときに母がとっさにとった行動は、濡れた衣服をすぐに脱いで八十一歳のヌードを披露、船から毛布を出させて身にまとったのです。なにしろチチカカ湖は富士山よりも高いところにあり、酸素も希薄です。

もし濡れた服で我慢していたとしたら、母は風邪から肺炎を併発し、低酸素が災いして一命を落としていたかもしれません。母は日本女性らしからぬ「恥を知らぬ」行動によって、自らの命を守ったのです。

母の総旅行距離は月へ二往復の百四十三万キロメートル

昭和五十四年、日本テレビの『人力車から宇宙船』という番組にわが家の歴史が選ばれて、母と私が出演したことがあります。母が人力車に乗って女学校に通った頃からの科学の進歩をたどる番組で、最後に母と私が宇宙船の乗船券をいただくという筋書きでした。

このときテレビ局から、母の総旅行距離が知りたいとの要望があり、家内が中心となってこの気の遠くなるような難事に取り組んだのです。その結果、その時期までの母の総旅行距離は、実に百四十三万八千八百キロで、ちょうど月へ二往復したことになり、これでは父の残した印税などがなくなるはずだと感心したものです。

その後も、昭和五十七年の茂吉の生誕百年を記念して、茂吉の足跡をたどるヨーロッパの旅に出ています。同時にこれは母の思い出の旅の再現でもありました。母の初めての海外旅行は大正十三年のことで、単身五十日の船旅で茂吉の留学先のヨーロッパに向かい、パリのリヨン駅に近い、『アンテルナショナール』という小さなホテルで、父と四年ぶりの再会を果たしたのです。ふたりにとって感動の瞬間だったはずです。

母と私たち夫婦は、この思い出の『アンテルナショナール』を訪ねました。ところが昔とまったく変わらない二階建てのホテルの前で、しきりに感動しているのは私たち夫婦だけで、母は車から降りようともしません。

昔を思い出すのがつらくて、車から降りられないのだろう、きっと車のなかでひとり感慨に耽《ふけ》っているのだろう。母の実像をご存知のない方なら、きっとそんなふうに解釈するかもしれません。ところが実は、母は過ぎ去った過去にはなんの興味も示さない人なのです。過去を懐かしむ暇があるなら、まだ見たことのないところへ行きたいのです。

年をとると昔の話をしたがる人が多いものですが、母の場合には自分から昔話をすることなどほとんどありませんでした。八十六歳という年なのに、いつも前しか向いていないのです。

母の最後の旅は、母が世を去る半年前、昭和五十九年の九州旅行でしたが、最後の入院中にもメキシコのユカタン半島に出かけるのだと話していましたし、居間に残されたスーツケースのなかは、いつでも旅立てるように整理されていました。

こうして母は、永遠の旅への直前まで、旅を老化防止のエネルギーにしていました。チチカカ湖に行くんだ、エベレストに登るんだとの強い気持ちがボケを防いだのです。

そんな母の旅好きを当然私も引き継いでいますし、私自身、旅は若返りの栄養剤だと考え、ほぼ一年の半分を旅先で過ごしています。家内と世界一周の船旅にも四回出かけていますが、それでも百四十三万キロの母の記録には遠く及びません。

「トラベルはトラブル」を愉しむ心意気

「完全を求めると麻痺《まひ》がくる」

イギリスの宰相ウィンストン・チャーチルが遺した名言です。百%求めるのは自分の首を絞めるようなもので、自分の要求に自分自身が身動きできなくなってしまうといった意味です。それでは困りますから、私は前述したように人生は六〇%でよしとしていますが、旅を愉しくするためにも、せいぜい八〇%程度で満足しておきたいものです。

旅で完璧を求めるとどうなるでしょう。百%を求めれば不満ばかりでてきますので、いつも添乗員に不平不満を言うことになります。最初はともかく、次第に添乗員に嫌われるようになりますし、毎日のように不平を聞かされている参加者にしてもうんざりしてきます。結局はツアー参加者の鼻つまみ者になり、せっかくの愉しいはずの旅を台なしにしてしまうことになります。

またひとりでツアーに参加すると初対面の人と相部屋になることがありますが、もしこんな人と相部屋になったらそれこそ大変で、毎晩のようにアラ探しの不満を聞かされたら愉しいはずがありません。最近ではひとり部屋料金が設定されているツアーが多くなりましたが、それもこうした相部屋トラブルを体験している人が多いためではないでしょうか。

さらに旅先の嫌われ者は、他人の気持ちに配慮できない人たちです。エジプトに行ったときですが、飛行機の窓側に座っている新婚らしいカップルが一切ブラインドを開けようとしません。上空を飛んでいるときにはそれでもいいのですが、飛行機の旅では離着陸時の景色を愉しみにしている人もいます。

しかしこのふたりには、そんな人たちもいるのではないかとの配慮もありません。私はこのふたりがやがては、お互いに「自分勝手だ」と相手をののしり合う姿を思い描いてしまいました。

このように他人への配慮に欠けた人も、旅上手とは言えませんが、私はこんな人をドイツ・フランスを回るワインの旅のときでも見かけました。バスで移動する旅では、窓から見る風景も旅の愉しみのひとつです。

ところがその人は、窓から陽が差すとさっとカーテンを閉めてしまい、家族がどう注意しても頑として聞きません。この人とは実は私の母であり、家族とは私と家内だったのです。

こんなマイペースの母でしたが、よいところもありました。とくに感心するのはトラブルにめっぽう強いことです。チチカカ湖のヌード・エピソードもそのひとつですが、旧ソ連旅行で、キエフからルーマニアに飛ぶ飛行機が待てど暮らせど到着しなかったときにも、それを感じました。

誰もがイライラして航空会社のカウンターに群がり、係員と押し問答をしています。ところがそんな騒ぎは知らん顔で、待合室の椅子に座って何やら口のなかでうなっているのです。何をしているのかと思ったら、謡い（謡曲）の稽古《けいこ》をしているのです。

「騒いだってしょうがないでしょ。なるようにしかならないんだから」

と、泰然自若《たいぜんじじゃく》です。

結局、一晩待たされることになり、案内されたのは真っ赤な水しかでないようなホテルで、ことにアメリカ人は爆発寸前でしたが、それでも母は文句ひとつ言わずに成り行きを愉しんでいました。

「トラベルはトラブル」というほど旅にトラブルはつきものです。しかし後になれば、そのトラブルが印象深い思い出になることもまた事実です。

だからというわけでもないでしょうが、母は、一便前の飛行機がハイジャックに遭ったときなどは、何と「もう一便早くすればハイジャックを体験できたのに……」と本気で悔しがるような人で、トラブルさえ愉しんでいました。

ハイジャックは遠慮しますが、トラブルに遭遇しても慌てずに成り行きを見守る姿勢が、旅をより愉しくすることは確かです。

目的・目標のある旅を設定する

ひと昔前までは旅といえば名所巡りを指し、ツアーではいかに多くの名所旧跡を巡るかが売り物になっていたほどです。今でもそれに近い旅があり、とくにヨーロッパツアーなどは宿泊ホテルが毎日変わるといった強行軍もあります。

いろいろ回れるからと初心者はこうした旅を選びがちですが、これは高齢者には向きません。だいいち疲れますし、ただ忙しく見て回るだけで、旅の愉しさを感じるゆとりがないのです。歴史的背景などを知ったうえでゆっくりと鑑賞したり、情緒を味わう旅を選びたいものです。

最近ではオペラを愉しむツアー、美術館を巡る旅、ワインの旅や味覚の旅など、目的のあるツアーもいろいろとありますので、自分の趣味に合うものを選ぶのも一案ですし、一カ所でのんびりする滞在型の旅も人気です。要は体調を考えて、決して無理のないものを選ぶのがツアー選びの秘訣です。

私の場合、船旅の目的のひとつは「世界中の橋を持ち上げる」ことで、これは船旅でないとできません。もちろん実際に橋を持ち上げるわけにはいきませんから、持ち上げているように見える写真を撮るということです。

この愉しさを私に教えてくれたのは、新潟と佐渡を結ぶ佐渡汽船の古川さんという社長でした。広島の造船所で完成させ、佐渡まで回航する船に乗せてもらったとき、古川さんから甲板に上がってくれとの連絡がありました。ちょうど関門海峡を通っているときです。私が甲板に上がるとカメラマンが待機しており、両手を挙げてくれといいます。関門橋を通る瞬間に、まるで私が関門橋を持ち上げているかのような写真を撮るというのですが、この写真が実によくとれていて、以来、私の悪癖となってしまったのです。

私はどこに行っても大きな橋があると持ち上げようとします。明石大橋、横浜のベイブリッジ、東京のレインボーブリッジ、サンフランシスコの金門橋、ニューヨークのベラザーノ・ナロウ橋など、ずいぶんいろいろな橋を持ち上げました。

ほかの船客の目には、両手を挙げた私の写真を家内が撮っているように見えるのですから、最初は怪《あや》しげに見ています。しかしやがて理由がわかると拍手喝采《かっさい》、真似をする人も続出します。そのため今では、橋を持ち上げる人たちが世界中に蔓延するのではないかとの恐れを抱いているほどです。

他愛のない話ですが、この次はどこの橋を持ち上げようかと考えれば旅の目的地もおのずから決まり、ほかの人にはない余分な愉しさを味わうことができるのです。

さらにもうひとつの私の旅の目的は、列車、船、飛行機の三つの交通機関で同じ場所に行く、私流のトライアングル訪問の達成です。たとえば上海や仙台は、まず列車で行き、続いて飛行機、最後に船で行ってトライアングル訪問を達成しています。こちらのほうは港と空港がなければいけないとの条件がつきますので、橋を持ち上げるように簡単には数を増やすことができません。

このように目的は何でも構いません。ただし一回ごとに目的を設定している人より、世界中のカジノ訪問、世界遺産の踏破、百カ国訪問などの長期的な目標を立てている人のほうが、旅行回数が必然的に増えるようです。

もちろん国内旅行でもいいのですし、どうせ旅をするなら、こうした目標を設定してみてはいかがでしょうか。

船旅のすすめ

日本でもようやく船旅を愉しむ人が増えてきたのは、『飛鳥』や『にっぽん丸』といった豪華客船が就航するようになったことからもうかがい知ることができます。しかし欧米人と比べるとまだまだ少数で、船旅は衣装が大変とか、旅費がめっぽう高いといったイメージを持っている人も少なくありません。

たとえば服装ですが、私が初めて『飛鳥』で世界一周したとき、毎日毎日、違うTシャツを着ている婦人がいたのには驚きました。それもすべて『ベティー・ブープ』のTシャツ。私はベティー・ブープに百種類以上もあることを、このとき初めて知りました。

ところが二回目、三回目になると、さすがにこういう人は減ってきます。船旅に慣れてくるほど荷物も少なくなり、スーツケースなどではなくダンボールなどで運び込むようになります。空のスーツケースほど始末に困るものはなく、『飛鳥』の場合にはベッドの下に置けるのでいいのですが、船によってはスーツケースに囲まれて寝るような状態になりかねないためです。

それにおしゃれ着を山ほど用意する必要もありません。昼間はTシャツなどのラフな格好でいいのですし、夜でも男性はネクタイ着用、女性はワンピース程度で十分で、男性はタキシード、女性はロングドレスで正装というのは、近距離の航海で週に一度ぐらい、世界一周となるとお客様が疲れないようにとの配慮から、フォーマルな回数はもっと減っていきます。

また豪華客船の旅というと、やたらに旅費が高いという印象を持っている人も少なくありません。もちろんクィーン・エリザベス号の最高の船室で世界一周旅行となれば、驚くほど高いのは当然です。

クルーズでは部屋の位置や大きさなどによって値段の差がでるのが普通で、たとえば沖縄巡りのクルーズを例にとると、海が見えないもっとも安い船室が二十数万円、最高の船室だと百数十万円と百万円もの差がでてしまいます。

もちろん船室に閉じこもっている必要はまったくありません。海が見たければデッキに出ればいいのですし、部屋は単なる更衣室、寝室と考えればいいのです。クィーン・エリザベス号のような船は、等級によってレストランもデッキも違い、等級の低い船室の人は上のクラスのエリアには入れませんが、最近の新しい客船では、船室以外のパブリック・スペースも食事も、どれをとっても平等です。

そう考えると二十数万円の沖縄巡りの旅は、極めてリーズナブルに思えてくるはずです。まず通常は食事がティー・タイムを含めて一日に七回もあります。さらにお客様を退屈させないように、さまざまなイベントが用意されています。

たとえば教室がたくさんあり、マジック、インド料理、丸カゴづくり、写真、シュノーケル、囲碁、星空鑑賞などが毎日開催されます。映画も上映すればダーツゲーム大会、カジノトーナメント、ダンスタイムやショーなど、とてもすべては体験できないほど盛りだくさんで、しかもこれらの費用まですべて、船賃に含まれているのです。

飛行機で沖縄の島巡りをした場合のホテル代や食事代を考えれば、クルーズのほうがずっとリーズナブルではないでしょうか。世界一周はともかく、ぜひ一度、一週間から十日ぐらいの近距離クルーズを楽しんでみてはいかがでしょうか。間違いなく、病みつきになるはずです。

第7章　ひとりのときでもおしゃれを愉しむ

おしゃれはボケ防止の特効薬

私たちの生活のなかで、もっとも避けなければならないのはマンネリ化です。暮らしがマンネリ化すると、刺激が減少し、脳の働きもからだの働きも次第に退化していきます。

私がこの本で述べている好奇心も趣味も、友だちも旅も、こうした暮らしのマンネリ化を防ぐために必要不可欠な条件なのです。

おしゃれもまた、日々のマンネリ化を防ぎ、生活に潤いのある変化を与えてくれる重要な手段のひとつです。

このことは、前章で述べた船旅を思い出していただければよくわかるはずです。タキシードやロングドレスの日、ネクタイの日、ラフな服装の日、仮装の日などがあるのも、すべてマンネリに陥りやすい船旅に変化を与えるためのものなのです。

船旅ではしばしばうつの患者がでるものですが、そんな人たちのほとんどは、こうした変化を積極的に愉しもうとしない人たちです。

盛装の日はレストランに行かずにルームサービスですませる、毎日のように開催される勉強会や催しにも参加しなくなるなどが前兆で、こうした変化のない生活が、やがては他人の悪口を言う、大洋上で船から降りたいと言いだすなどのうつ症状を起こすのです。

このように服装の変化は脳への刺激となって、老化を未然に防いでくれています。逆に言えば若い頃はおしゃれだった人が、中高年になっておしゃれに無頓着《むとんじゃく》になったとすれば、それは老化した証拠であり、さらにその老化は急速に進展すると言えます。

私が服装に気をつかうのも、もちろんおしゃれを愉しむという面もありますが、七十歳を過ぎてからは、むしろ老化防止、ボケ防止という面が強くなっています。

おしゃれとは、いかにたくさんの洋服を持っているかではありません。前述した『飛鳥』に百枚以上ものTシャツを持ち込んだ女性は、決しておしゃれとは言えません。もちろんそれでも変化によってマンネリ化を予防する意味はありますが、本来のおしゃれとは、いかに数少ない衣服で変化を愉しむかという、いわばコーディネート力です。

たとえば、各三着ずつの上衣、シャツ、ズボン、靴下、ネクタイを組み合わせることによって、何通りのファッションを愉しむことができるかが、おしゃれの真骨頂なのです。

おしゃれは、ショッピングから始まります。ネクタイ一本買うにしても、柄や色が気にいったという大前提に加えて、そのネクタイは自分が持っている何着の上衣やシャツに合うかなどを考慮する必要があります。

ですから私は、たとえ家内であろうとも、ネクタイ選びを任せるわけにはいきません。自分の服はコーディネートを考えながら自分で選ぶ。おしゃれはこの洋服選びからスタートすることになり、そのための選択や工夫が若さを維持し、ボケを予防してくれるのです。

しかもこうした工夫は、私が七十代の頃よりもずっと楽になっています。その頃はデパートに行ってもお年寄りコーナーなどはありませんでしたし、年寄りの着るものはいかにも年寄り臭い地味なものばかりでした。

船旅を愉しむ私には、そんな地味なものを選ぶ気持ちはまったくありません。グレイより赤がほしいのですが、七十歳にフィットする赤選びは至難の技でした。ですが今ではお年寄りのコーナーにも年寄りじみたものはありません。デパートがようやく世間を見るようになり、年寄りのためのファッション選びを始めたのです。

あなたもあらためて三着ずつの上衣、シャツ、ネクタイ、ズボン、靴下を、少しでも多くの組み合わせができるように工夫しながら購入してみてはいかがでしょう。そしてそれを持参して豪華客船に乗り込み、あなたのコーディネートを披露する。そんな目標を持つこともまた、若さを維持し、老化を防ぐための大きな力になります。

七十歳を過ぎたらベストドレッサーを目指そう

「自分に合った服を選びましょう」

日本ではおしゃれの秘訣のひとつに、この自分に合った服選びを挙げる人が少なくありません。客が試着すると、店員の決まり文句は「よくお似合いですよ」。つまり「あなたに合っていますよ」と客を安心させるわけです。

このように自分に合った服を選ぶことは、確かに無難なおしゃれと言えるのかもしれませんが、私はおしゃれの醍醐味《だいごみ》は、服に自分を合わせることだと思っています。

たとえば私は七十歳前後の頃、夏になるとひとりのときはよくハワイのカラフルなTシャツを着ていました。そしてそのTシャツに自分を合わせるのです。ハワイにいるようなリラックスした気分になりますし、赤いハイビスカスに自分を合わせるのですから、四、五十代に戻ったような気分になれます。

このように、着る服によって気分や立ち居振舞まで変わってしまうことは誰もが体験し

ているこ とです。結婚式に出席するために正装すれば、気分が引き締まり、自然に姿勢もよくなりますし、歩き方さえ違ってくるはずです。

以前、五木寛之《いつきひろゆき》さんと塩野七生《しおのななみ》さんの対談『おとな二人の午後』(世界文化社刊)を読んでいて、服の仕立てについて、五木さんが私とまったく同じ体験をなさっているのを知りました。日本とイギリスとでは、服を仕立てる人の対応がまったく違うのです。

日本では採寸するとき、「からだの力を抜いて、楽にしてください」と言われるのが普通ですが、イギリスの仕立屋さんは「姿勢を正して、しっかり立ってください」と言うのです。この違いは、でき上がった服に反映されます。日本の服はごく自然に着られるのですが、英国の服を着ると、きちっと姿勢を正していなければならないのです。

この英国流も、服に自分を合わせるということです。スーツを着るときには気持ちを引き締めて姿勢を正し、Tシャツを着るときには心身ともにリラックスする。服装によって気持ちまで変化させることが、本当のおしゃれなのです。

またこうして服に合わせることは、おしゃれ上手になるための訓練にもなります。思いきって派手な柄や色、大胆なデザインの服にチャレンジし、それを自分のものにしていくことによって、おしゃれの幅もどんどん広がっていきます。

私はかつて著書のなかで、ベストドレッサーになるための第一の条件として、「勇気」を挙げましたが、大胆にチャレンジしていく勇気がなければ、決しておしゃれにはなれません。次いでベストドレッサーになりたいという「意欲」、その場にふさわしい服装をするという適切な「判断力」、さらに「適応力」や「バランス感覚」が必要になります。

おしゃれにはこれだけの能力が要求されるのですから、ベストドレッサーになろうと努力することは、そのまま老化の防止にもなります。七十歳を過ぎたら、あなたもベストドレッサーを目指してください。

船旅を面白くするドレスコード

船旅の愉しみもおしゃれとはおおいに関係があります。今夜はどんな服装にすればいいのか、それを知らせてくれるのがドレスコードで、毎日、船内新聞などに、カジュアル、インフォーマル、フォーマルなどと掲載されます。たとえばフォーマルとあれば、その夜は自室以外のパブリック・スペースでは、男性はダークスーツ、礼服、ディナージャケット、紋付きを着用し、女性はカクテルドレスやイブニングドレス、和服となります。

もっとも和服はよほど慣れている人でなければ、おすすめできません。私もクィーン・エリザベス二世号に初めて乗ったとき、紋付き、羽織、袴《はかま》を持ち込んだことがあります。かなりの人気を集めていい気持ちにはなれたものの、その着付けが大変で、無事に着られたのも家内の奮闘の賜物でした。それに懲りて、以来、和服は一切船内に持ち込まないことにしました。

また、難しいのはカジュアルで、日中はカジュアルでいいという船がほとんどですが、ジーンズは許されませんし、ショートパンツも熱帯以外は避けたほうが無難です。またスリッパやサンダルもオープン・デッキ以外は許されません。

インフォーマルとは、男性ならスーツとネクタイ、女性ならワンピースかツーピース、あるいはブラウスとスカートなどを着用することになります。

以前、『飛鳥』の九十六日世界一周クルーズで統計をとってみたところ、フォーマルが八日、インフォーマルが二十九日、残りの五十九日はカジュアルでした。堅苦しいフォーマルが苦手な男性には好評でしたが、女性には物足りなかったのか、インフォーマルな日にもフォーマルな装いをしている人が少なくありませんでした。もちろん、インフォーマルの日にフォーマルな服装をしても、誰も咎《とが》める人はいません。

「あなた、今日のお洋服は何色？」

一緒に外出することになると家内は私にこう問いかけてきますが、船旅ではこの質問がまるで口癖のように多くなります。つまり家内は、私の服に合わせた夫婦のコーディネートを愉しんでいるのです。

船に持ち込む服の数などはしれたものですから、私の色を聞けば、家内にはどの服かがすぐにわかるので、家内は私の服の色やデザインを考慮したうえで自分の服を選ぶのです。

これもまた船旅ならではの愉しみで、どうせ夫婦で行くなら、お互いにどんな服を着るかを相談し、ベストドレッサー夫婦を演じるのも旅をより愉しいものにしてくれます。

また私の船旅の愉しみのひとつは、寄港する港々で絵柄や言葉の面白いTシャツを探してはこれを着用し、パフォーマンスを愉しむことです。

たとえば『アルカトラス・スイミング・クラブ』と書かれたTシャツ。アルカトラスとはサンフランシスコ湾に浮かぶかつて監獄だった島で、たとえ脱獄できても海の水が冷たくて脱出不可能な島として有名です。そんな泳ぐこともできない海のスイミング・クラブというところに、このTシャツの絶妙なユーモアがあるのです。

香港だ、シンガポールだと寄港するたびにこんなTシャツを見つけては買い込み、それを着てはひとり悦に入る。これも私の船旅ファッションのひとつで、安上がりですむというメリットもあります。

変身願望とファッション

誰か別な人間になってみたい。そんな変身願望は誰もが持っているもので、他人になることによって自分の心の願望を充足しようとする、人間の本能のひとつです。私も若い頃にはひとり部屋に閉じこもり、ストコフスキーになったつもりで指揮棒を振り、わが架空のフィルハーモニーを指揮したり、ヒットラーになって怪しげなドイツ語で大演説を真似したこともありました。

この変身願望に一役買うのがファッションです。最近ではコスプレとかいうものが若者の人気を集めています。もっとも彼らの変身対象は、アニメなどのキャラクターというのですから、私はそこには強烈な現実逃避の臭いを感じます。

とはいうものの、実は私もこのコスプレまがいの格好をしたことがあります。日本旅行作家協会の創立十周年のパーティーのときで、私は全日空のパイロットの制帽とコンコルドの銀色のジャンパーで出席したのです。飛行機大好き人間で、パイロットの制服への憧《あこが》れゆえなのですから、コスプレに夢中の若者に偉そうなことが言える立場ではありません。

このコンコルドのジャンパー、実はニューヨークの空港のエールフランスのショーウインドウに飾ってあったものでした。ディスプレー用で、本来は売るはずのないものでしたが、それがどうしても欲しいので、無理を承知で家内に交渉してもらうことにしました。男が頼んでは相手にもしてくれないだろうと思ったためです。結果は上出来。家内はいったい何と言って交渉したのかは知りませんが、みごとに手に入れてくれたのです。

そんな由緒あるジャンパーで出席したためか、その後、日本航空が機長の制帽、制服をつくってくれました。

大の大人がアニメのキャラクターの真似では疑われてしまいますが、旅行作家のパーティーで、憧れのパイロットに変身する程度の遊び心は、あってもいいのではないでしょうか。

面倒がる自分とどう訣別《けつべつ》するか

「若い頃だっておしゃれになんて興味がなかったのに、なんで今さら……」

私がベストドレッサーを目指そうと、いくら力説しても無頓着で、着るものは清潔であればいいと考えている人が、ことに男性には少なくありません。それはそれでひとつの見識で、私にはことさらに異論を唱えるつもりはありませんが、ただその人が、おしゃれの愉しさを知らないで言っているとすれば、それはとても残念なことです。

私の周りには、「ゴルフなどする人の気が知れない」と言いながら、一度グリーンに出て病みつきになった人や、「船旅なんて絶対嫌だ」と言いながら、一度体験した途端に「船旅こそ本当の旅だ」と言い出した人など、たくさんいます。

おしゃれも一緒で、その愉しさを体験しないまま否定してしまうのは、あまりにもったいない話です。ことに高齢者にとっては、自分の生活空間をせばめてしまうというデメリットさえあります。

たとえば友人に高級レストランに誘われても、「いいよ私は、そんな堅苦しい店は好きじゃないから」と、せっかくのひとときを放棄してしまうことが少なくありません。おしゃれに無頓着な人はとかくおしゃれを面倒臭いものと思いがちで、その面倒臭さが、日頃の生活に変化と刺激を与えてくれるチャンスをみすみす潰してしまうのです。

これはおしゃれに限ったことではありません。年とともに何ごとにつけても「面倒臭い」という気持ちが頭をもたげてきます。「面倒臭い」がなかなか出てこないのは、愉しいと思うこと、大好きなことをするときだけです。

だからこそ何にでも好奇心を持つこと、愉しいと思うこと、何でもやってみることが大切なのです。私は、この年になっても、「面倒臭い」と思うことがほとんどありません。何でも愉しもうとするからです。愉しく過ごすためには、愉しもうとすることがいちばんなのです。

おしゃれについてはとくに、この「面倒臭い」を退治しなければいけません。なぜならおしゃれとは、おしゃれするということ自体が目的ではなく、たとえばパーティーに出席する、高級レストランで食事するなど、おしゃれとは別のシーンが付随することが多いからです。

パーティーや高級レストランでの食事は、決して日常的な暮らしのワンシーンではなく、日常に変化を与えてくれる非日常的なシーンです。そうした変化がマンネリ生活に適度な刺激を与えてくれるだけでなく、おしゃれをして外に出ることが、新しい出会いや新しい関心を発見するチャンスでもあるのです。おしゃれを面倒がることは、そうしたチャンスを失うことでもあります。私がおしゃれをすすめるのは、こうした理由のためです。

それではおしゃれに無関心な人が、おしゃれを愉しむにはどうすればいいのでしょうか。もっとも簡単な方法は、あなたの身近にいるおしゃれな人に、着せ替え人形になったつもりで任せてしまうことです。シャツ、ズボン、ジャケット、ネクタイから靴下、靴に至るまで、その人に任せて、あなたにあったものを揃えてもらえばいいのです。

ただし人任せにするからには、決して「ノー」とは言わないことです。おしゃれに無頓着な人は、とかく自分が着たことのないものは否定しがちです。

「こんなの派手すぎて着られない」「私の好きな色じゃない」「私に似合わない」など、「ノー」と言っては何の意味もありません。半信半疑でも恥ずかしくても、とにかく着て、選んでくれた人とパーティーなりレストランに行くことです。

最初は何とも落ち着かない気分になるかもしれません。しかしそのうちに、自分が意識しているほど他人が意識していないことに気づくはずです。あなたは派手すぎるなと思っても、誰も派手だとは思っていないことに、またあなたが自分には似合わないと思っているのに、人はそう見てないことに気づくのです。それがわかると自然に不安な気持ちは消え、自信のようなものが湧いてきます。

また自分のファッションが見られていると思うために、人のファッションがとても気になるのです。

「あの服とネクタイのセンスはとてもいい」「素敵な色のドレスね、靴の色もいいわ」「あの服の色とシャツの色がなんだか不自然」

などと思うようになれば、もうしめたもので、否応なく自分の着るものにも関心が高まってきます。

さあ、あなたも「面倒臭い」などと言わずに、チャレンジしてみてください。友人に頼み難ければ、専門店や百貨店の店員さんに任せてみてはどうでしょう。

まずそんな勇気と好奇心、そして冒険心を持つことです。そしてチャレンジすることができれば、判断力、適応力、社交性、積極性などのベストドレッサーになるための要件も、次第に身についてくるはずです。

おしゃれとは、中高年からの人生をより愉しく生きるために不可欠な条件のひとつなのです。

第8章　いつも「感じる人」でいたい

ものごとに感動する人間であり続ける

「なんと素晴らしい○○だろう」

あなたが何かに感動したのはこの前はいつだったか、あなたは覚えているでしょうか。もし、「感動ならしょっちゅうあるさ」と言うのであれば、あなたにはまだまだ若さが残っており、第二の人生はまずまずのものとなるはずです。

しかし、「いつだったかなあ、覚えていないね」と考え込むようなら、あなたは精神的にも老いてきた証拠です。人間は、年とともに感動が減ってくる動物です。

若い頃には、実にさまざまなシーンで感動するものです。電車の中や、街を歩くと、「すげえ!」「それって超感動だよ~」といった若者たちの声が、かならずといっていいほど聞こえてきます。新発売のお菓子が驚くほどおいしかった、学校を休んだら友だちがお見舞いメールをくれた、遅刻した彼女を彼氏が一時間も待っていてくれた、若者にとってはちょっとした驚きのすべてが感動の対象となるのです。

「手に汗握る」という言葉がありますが、手のひらに汗をかくのは、スリリングな映画のシーンを見ているときとは限りません。緊張したときだけでなく感動したときにも、手のひらに汗をかきます。

ある研究報告によれば、この手のひらの汗は五十代になると減少し始め、七十歳になるとほとんどゼロになるといいます。つまり五十歳をすぎると感動は減少し、七十歳でほとんど感動しなくなるというわけです。

もちろんこれは一般論ですが、年齢とともに感動にもマンネリ化が起こり、ちょっとしたことでは動じなくなるのに比例して、感動も減っていきます。これは感動する能力を失ったということではありません。ただ感動する機会を失っているだけなのです。七十歳どころか八十歳を超えても、いろいろなことに感動している人はたくさんいます。

感動する老人と感動しない老人、この差はどこから生まれてくるかといえば、積極的に感動する機会をつくろうとしているか、していないかの違いでしかありません。感動すると脳のなかでポジティブなホルモンが分泌され、これが肉体的、精神的な活動を潤滑にする、つまり老化を防いでくれることを私は知っていますから、積極的に感動する機会をつくり出そうとしているのです。いくつになっても初めての体験にチャレンジする、見知らぬ国を旅するなどが、感動を生み出すもっとも手っ取り早い方法です。

毎朝決まった時間に起き、決まったコースを散歩して、ほとんど同じような朝食を毎日食べる。そんな朝で一日が始まって、夜寝るまでのリズムが毎日ほとんど同じでは、感動する機会がめったにないのはあたり前のことです。

「規則正しい生活」という言葉をよく聞きますが、これはあくまでも原則で、ときにはこの規則正しいリズムを乱して新しい体験をするところに、未知の感動が潜んでいるのです。

感動の扉を開こう

感動する機会をつくったら、次に大切なのは、心のなかにある感動の扉を開くことです。この感動の扉を開くことは、若返り作業と言ってもいいでしょう。

夕方の散歩の途中で、西の空が真っ赤に燃えているのを見たとしましょう。それが見慣れた夕焼けだとすると、あなたはほとんど感動しないはずです。なぜならあなたの感動の扉が開いていないためなのです。

ところが同じ夕焼けを、旅行中の異国で見たとすればどうでしょう。空一面が茜《あかね》色に染まり、教会の無数の尖塔《せんとう》がシルエットとなって浮かび上がる。そんな見慣れない夕焼けには素直に感動するのではないでしょうか。

これはあなたの心のなかにある感動の扉が、非日常的な異国への旅という体験のなかで、大きく開かれているからなのです。どんなに素晴らしい景色を眺めても、どんなに素晴らしい体験をしても、この扉が閉じていたのでは感動できません。

この感動の扉には厳重な鍵《かぎ》がかかっているわけではなく、ほんのちょっとしたことで開いてくれます。感動するには新しい体験や未知の旅がいちばんだというのも、そうした新しい体験をすることによって、この感動の扉が自然に開いてくれるためです。

もしこの感動の扉を、自分で意識的に開くことができればどうでしょう。あなたは実に数多くの、さまざまな感動を味わうことができるはずです。

実は、それをやっているのが旅行作家たちなのです。彼らは感動の扉を目一杯開き、感動を探し歩いているのです。路傍《ろぼう》に咲く一輪の花に感動するのは、そのためです。旅行作家協会の会長である私にしても、一度旅に出れば手帳にいっぱいの感動が集まります。だからこそ、旅は若返りの妙薬になるのです。

旅行作家の場合には、旅に出ると条件反射のように感動の扉が開くのですが、最初は意識的にこの扉を開くことが大切です。その方法は簡単で、意識的に感動すればいいのです。たとえば美しい夕焼けを見たら、

「なんて素晴らしい夕焼けなんだろう。なんてきれいな色なのだろう」

と、自分にちょっと強引に感動を押しつけるのです。

自己暗示をかけるわけですが、自分でその気になろうとすれば、ことに新しい体験の世

界ではすぐに感動の扉は開き、その夕焼けが素晴らしく見えてくるから不思議です。

　こうしてしばしば意識して感動の扉を開くようにすれば、いずれは意識しなくても感動の扉が開くようになり、あなたは周囲の人たちに「感性の豊かな人だ」「年よりずっと若い」などと言われるようになります。

　しかもこうして感動の扉が頻繁に開くようになれば、あなたの自律神経の働きも活発になり、精神的にも肉体的にもますます若返ってきます。あなたもぜひ、自分で感動の扉を開く習慣を身につけてください。

「ありがとう」の言葉を忘れない

「一笑一若」、笑顔のあふれる愉しい毎日を過ごすことが、若さを維持するための何よりの秘訣であることは前述した通りです。そして「一怒一老」、怒ること、不快な気分が続けば、精神的にも肉体的にも否応なく老《ふ》けていきます。

そこで日々の暮らしのなかでできるだけ「怒」を排除し、「笑」を多くすればよいのですが、そのためのひとつの大切な方法が「感謝」なのです。

ところが、ことに男性の多くは、年とともに、この「ありがとう」の効用を忘れてしまいます。妻が尽くしてくれるのはあたり前、部下が気をつかうのは当然、と勘違いしてしまい、「ありがとう」の言葉を忘れてしまうのです。

あなたはどうでしょうか。一日にどのくらい、「ありがとう」という言葉を口にしているでしょうか。この「ありがとう」という、たった五文字のひらがなには、相手の心を和《なご》やかにし、心地よい気分にさせるという極めて大きな効用が秘められています。

あなたが、「ありがとう」と言われたときのことを、想像してみてください。もちろん、レストランや商店で聞く、習慣的な「ありがとうございました」とはまったく違う、あなたのちょっとした行為に対する心のこもった「ありがとう」です。

この言葉を聞いた途端に、相手に対する無意識な緊張が解け、あなたの顔には笑みが浮かび、相手との距離がずっと近くなったような気がするはずです。しかもそんなあなたの反応に、「ありがとう」といった本人もまた、心地よい満足感を得るのです。

「ありがとう」には、こんな効用があります。「怒」を排除し、「笑」の多い生き方をするために、この「ありがとう」を活用しない手はありません。ことに妻や子どもなど、家族への「ありがとう」は重要で、家庭を明るくし、家族の暖かな交流の潤滑油《じゅんかつゆ》にもなります。

ところが現実には、「ありがとう」があふれている家庭はそうそうありません。夫は妻に、妻は夫に「ありがとう」を言わない家庭では、子どもも「ありがとう」を言いません。その結果、感謝の気持ちのない殺伐《さつばつ》とした家庭になりやすく、夫婦の諍《いさか》いが絶えず、子どもは非行に走りやすくなるなど、現代社会によくあるゆゆしきパターンに陥ってしまいます。

また、長い間「ありがとう」を言い忘れていると、たとえ感謝の気持ちはあっても、それを口にできなくなってしまいます。そのために夫婦喧嘩になると、とくに夫族は、

「感謝してるさ。そんなこと、いちいち言わなくてもわかるだろう」

といって、逃げようとします。これではいけません。喜怒哀楽と違って、感謝の気持ちは口に出さなければ相手に伝わらないのです。

たとえば、嬉しいといった喜怒哀楽の感情は、口に出さなくても相手に伝わることが少なくありません。たとえばあなたがよその子にお年玉をあげたとしましょう。子どもは嬉しそうな顔で受け取ります。ですが、嬉しそうな顔をしたからといって、感謝しているとは限りません。自分の部屋へ戻ると、「なんだ、五千円かよ〜。このドケチが〜」などと言っているかもしれないのです。

もちろん夫婦や家族の間ではそんなことはないでしょうが、それでも「言わなくてもわかる」というのは思い上がりで、「感謝しているのかどうかもわからない」というのが、妻たちの本音なのです。それどころか妻が、

「私がこれだけやってあげてるのに、ありがとうのひとつも言わない」

といった気持ちを抱くと、妻は夫のために何かすることを「苦」や「怒」と感じ始めま

す。夫婦の絆《きずな》がどんどん細くなる前兆です。妻から「笑」が消えると家庭からも「笑」が消え、家庭そのものが「苦」や「怒」になることさえあります。

その意味で「ありがとう」は、家庭から「苦」を排除し、「笑」を呼ぶ、もっとも簡単な方法ともいえます。これからはあなたも、素直に「ありがとう」を口にしてください。「いまさら気恥ずかしくて言えない」というのであれば、相手の誕生日や新年、結婚記念日などの暮らしの節目を生かしてみてはいかがでしょうか。

妻への感謝状と、妻から贈られたトロフィー

私は家内に、感謝状を贈ったことがあります。銀婚式のときで、それまで私たち夫婦を支えてくれた方たちへの感謝の会を開いたのですが、そのときに冗談混じりに次のような感謝状を贈ったのです。

表彰状　斎藤美智子殿

あなたは二十五年の間、ときには優しく、ときには阿修羅のごとき夫に仕え、またはなはだ個性の強い家族たちとなかなかうまくやり、わが家を今日まで、大過なく保ちきたりし功績は相当なものである。よって心からの愛情をもって表彰する。

昭和四十七年今月今夜　　斎藤茂太

「今月今夜」とは結婚記念日の十月二十三日です。

ジョーク混じりとはいえ、私にとっては、「よくもまあ、あの私の母親の面倒を見てくれた」という、本心からの感謝の気持ちがあったのです。

それはともかく、こうした形として感謝することもとても大切で、こうしたセレモニーを契機づくりに活用すれば、「ありがとう」が口にしやすくなるのではないでしょうか。

この感謝状を贈ってしばらくすると、こんどは家内から小さなトロフィーを贈られたのですが、そこには小さな文字で、

「To the most patient husband」

と刻まれていました。「もっとも辛抱強き夫へ」といった意味です。たったこれだけの短い言葉のなかに、超スローモーな家内に耐えた私への感謝の気持ちが、ユーモアとともに表われていました。

このように誰をはばかることもなく、夫から妻へ、妻から夫に感謝の気持ちを伝えられる夫婦であることが、わが家を明るくし、私たち夫婦がともに元気でいられる秘密のひとつなのです。

あなたももし「ありがとう」を忘れているとしたら、すぐにでも思い出し、有効に活用

してください。

それがあなたからも家庭からも、そしてあなたと接するさまざまな人の「苦」や「怒」を減らし、「笑」を増やす決め手となるのですから。

音楽や詩歌の世界に浸る

感動、感謝とくれば、次に続くのは感懐、感慨といったところでしょう。感懐とは感じて抱く思いであり、感慨は身に沁《し》みて感じることです。感動と極めて似ていますが、私は俳句や短歌のように、感動よりももっと静かに、心に沁み込んでくるような感覚だと思っています。

しんしんと雪ふりし夜にその指のあな冷たよと言い寄りしか

斎藤　茂吉

いったいだれが、「あな冷たよ」と言いながら寄ってきたのかは知らないことにしておきますが、こんな状況を想像してみるだけでも、脳細胞は非日常的な刺激を受けているのです。もっとも、

ひた走るわが道暗ししんしんと怺《こら》へかねたるわが道くらし

斎藤　茂吉

こんな歌は避けたほうがいいでしょう。感慨に耽っているうちに、こちらの気分まで暗くなってしまいます。

このように自分の好きな俳句や短歌の世界に遊び、想像してみたり自分の気持ちを移し替えてみてもいいのですが、やはりそれ以上によいのは、自分で詠《よ》んでみることです。

私の周囲には、五十歳、六十歳を超えてから俳句や短歌にチャレンジしている人がたくさんいますが、これは大賛成です。ともすると感動を忘れてしまいがちな心に感動を呼び起こすきっかけとなるだけではなく、たとえば旅に出たとき、俳句や短歌をたしなむ人は常にその題材を探そうとします。

これは旅行作家と同じで、感動の扉を開く作業になるわけです。しかも俳句や短歌となると、そこにはどうしても感懐、感慨が要求されます。つまり、そうして俳人や歌人の気持ちになることが、そのままこころの癒《いや》しにもなるのです。

もちろんクラシック音楽の好きな人なら、たとえばベートーベンの「田園交響曲」を聞いて、のどかな田園風景を思い浮かべてもいいでしょう。

現実の世界には、避けようと思っても避けられない雑事や苦労がつきまといます。だからこそ、ときにそんな現実世界を離れ、まったく別な世界に自分を置くのです。それが空想の世界でも、夢の世界でも、そこにしみじみと感じるものがある世界であればどこでもいいのです。

生命の息吹を感じよ

芸術に触れて静かな感慨に耽けることも大切ですが、ときに命の息吹を感じることも、私たちに生きている歓びを実感させてくれます。もともと私たち日本人は、季節の移ろいに敏感で、春夏秋冬の時の流れに自分の人生を重ね、ときには感嘆し、またときには命のはかなさや、みなぎるばかりの生命力を感じてきたのです。

人生八十年と考えると、五十代、六十代はちょうど秋になります。鮮やかな紅葉を眺めて、ただ美しいと感動するだけではなく、何かもの悲しく、また人為を超えた神秘的な力を感じるのも、自分も秋の季節にいるためではないでしょうか。

そうだとすれば私はもう冬、それも北国の冬といったところかもしれません。あたり一面の白銀の世界、そこに神々《こうごう》しいほどの美しさを感じるのは、やはり私の年のせいなのかもしれません。そしてそんな白銀の世界にも、力強い生命の息吹を感じます。雪に覆われた木々のなかには、今にも爆発しそうな命の息吹が宿っているのです。

その生命の息吹が爆発するのは、春ではありません。秋や冬の年齢になると、春には一種の寂しさを感じるものです。真っ青な空を背景に咲き誇る桜に感動しながらも、その花びらが風に舞い始めると、一種、言いようのない寂しさを感じてしまいます。桜の下にていざ死なん、と散り行く桜にわが身を置き換えてしまうのです。

と、勝手なことを書いてきましたが、私が生命の息吹を感じるのは、やはり夏、それも初夏の新緑の頃です。山々は鮮やかな緑色に包まれ、春に活動を開始した動物たちの営みも活発になります。

そんななかに身を置いてフィトンチッドを浴びていると、ただそこにいるだけで力強い生命力を感得することができるような気がします。古来、森には不思議なパワーがあると言われていますが、私はこの新緑の森から、生きるためのエネルギーを得ているような気がします。

もちろん気のせいかもしれませんが、気のせいでもいいのです。こうして自然の恵みを自分勝手に享受できるところに、自然の不思議なパワーが潜んでいるのです。

しかも四季それぞれには、それぞれのパワーがあります。そんな変化のあるパワーを享受できるのですから、日本人は幸せです。私はハワイなどの南国も大好きですが、それでは永住できるかといえば、とてもできません。四季がないためです。

しかし南の国には、別な意味の生命力があふれています。畑にスイカを放り投げるだけで、ただ待っていれば実がなりますし、バナナも自然に生えてきます。そんななかで日がなのんびりと、プールサイドで過ごすことも命の洗濯になります。海外のリゾート地に行くと、プールサイドには若者よりもお年寄りのほうが多いのも、こうして命の洗濯をし、ストレスを解消し、生命力あふれる自然と一体になることによって、その生命力のお裾分けに預かれるためなのです。

このように生命の息吹を感じることは、生きるパワーを感得することです。体得したことがすぐに身につくように、感得したことも身につきます。しかも感得したことは、私たちのなかで生きるエネルギーに変わるのです。

あなたも新緑の森で、あるいは南国のプールサイドで、おおいに自然の命の息吹を体得してください。それが素晴らしい冬を迎えるための、もっとも簡単にできる最善の準備でもあるのです。

私たち人間も、大自然の一部にすぎません。ですが人間は高い知能を得たがために、自然をどんどん破壊してきました。炭酸ガス問題や環境ホルモン問題などで、今そのツケを払わざるをえなくなっているのは周知の通りです。

人間が自然の一部である以上、私たちがもっとも癒しを感じるのは、やはり自然のなかにいるときなのです。ですから、ことに都会に住んでいる人は、積極的に自然と接する努力が必要です。家でぶらぶらしている時間があるならご夫婦でハイキングに行き、自然にどっぷりと浸かる。それがあなたを癒し、生きるパワーを再生してくれるのです。

「怒哀」は捨てて「喜楽」を感じよ

感動し、感謝し、感懐する。いつも何かを感じているということは、私たちが快い刺激を受けている状況です。温泉に浸かって、「ああ、いい気持ちだ」というのが、からだで感じる快感だとすれば、感動や感謝などは、心で感じる快感なのです。感動や感謝には温泉と同じ効果があるといってもいいでしょう。

ただし大切なことは、自分にとって心地よいことだけを感じることです。子どもたちは何にでも感動すると言いましたが、「感じる人」の代表は子どもたちです。喜怒哀楽のいずれにも敏感に反応し、幼児に至っては泣いていたかと思うとすぐに笑いだすといったように何にでもすぐに反応します。

このように、「感じる人」であることは若さの証しでもあるのですが、歓びや愉しさだけではなく、怒りや悲しみまでも敏感に感じてしまいます。ここに、子どものいじめや自殺の要因があるのです。

ですが、私たちは子どもではありません。怒りや悲しみには意識的に鈍感にならなければいけませんし、それができるのが大人です。

「怒ったところで何の解決にもならない」「悲しんだところでどうにもならない」「ものごとはなるようになるさ」

と、怒りや悲しみにはケ・セラ・セラ（なるようになる……）で対応し、逆に嬉しいこと、愉しいことには意識的に反応します。これが私の言う「感じる人」です。

いうまでもなく、「喜楽」はいい意味のストレスになりますが、「怒哀」は悪いストレスになります。だからこそ「一笑一若、一怒一老」なのです。現実社会のなかで避けられない悪いストレスを「喜楽」で癒すことが、心身の健康や若さを約束してくれます。

ときにテレビドラマを観て泣くのもいいでしょう。年とともに涙腺《るいせん》も緩んでくるのですから、どうしても涙もろくなります。しかしいい年をして悔し涙はいただけません。

「泣きたいだけ泣きなさい。気分がスッキリするから」

などというのは、若い人のためのセリフです。悔しさ、憎しみ、悲しみ、怒りなどのマイナスの感情をコントロールできるのが、本物の大人なのです。そして心地よいことは意識的に感じようとする。そうすれば日々の生活はどんどん愉しく、明るいものになっていきます。「一笑一若」の「笑」は、ただ笑うことだけを指すわけではありません。「歓び」「愉しさ」「嬉しさ」「感謝」「感動」「素晴らしさ」などを感じることもまた、私の言う「笑」なのです。

あなたも今日から、「怒哀」は捨て、「喜楽」を感じる人になってください。

おわりに——昨日と違う今日を生きよう

さあ、いかがでしたでしょうか。病気や老人性痴呆に負けることなく、いくつになっても若さと健康を維持していくには、人生をいかに愉しく過ごすかが何より大切なことか、理解いただけたことと思います。

では、どう愉しめばいいのか。それがこの本のテーマです。私もまたこうして書くことによって、自分という人間が多岐にわたって人生を愉しんでいるのをあらためて自覚するのです。まるで遊んでばかりいる道楽爺《じい》さんのようですが、それも若い頃にはしゃかりきになって働いた褒美だと思っています。

人生、いくら苦しんでも哀しんでも、どうにもならないことは山ほどあります。だとすれば、苦しみ嘆きながら過ごすよりも、もっと愉しく、明るく生きたほうが有意義なはずです。それが、いつまでも若々しく生きるための、何よりの秘訣なのです。愉しく過ごすためには、昨日と同じ今日ではいけません。昨日と違う今日を生きてこそ、人生は愉しく、豊かになるのです。

旅に出る、おしゃれをする、趣味を持つ……、私がこの本で述べてきたことは、昨日と違う今日を生きるための方法です。日常の生活を離れ、非日常の時間を持つ。それが私の言う、愉しむということなのです。

もちろん私は、ここで述べた愉しみのすべてをあなたに強要しようなどとは、微塵《みじん》も思っていません。あなた自身が愉しいと思うことから始めればいいのです。

人生を愉しむと同時に、あなたのなかの不安を意識的に排除することも大切です。年老いてくると、自分の将来に強い不安を抱く人が少なくありません。

「もし、夫（妻）に先立たれたら、どうやって生きていけばいいのだろう」

「もし寝たきり老人や、老人ボケになったらどうしよう」

「あと何年生きられるかわからないが、生活費は大丈夫だろうか」

こうして考え始めると切りがありません。こんなことばかり考えている人は、たとえば配偶者を亡くしたことなどがきっかけとなって、精神障害を起こしたり、痴呆が発症したりするケースも少なくありません。考えればどうにかなることはもちろん考えるべきですが、考えてもどうにもならないことをいくら考えても意味がありません。「そういう性格だから」と、簡単に性格のせいにせずに、考えても意味のないことは考えないと肚《はら》を決め、それを習慣にしなければいけません。それができてこそ、あなたは残りの人生を謳歌《おうか》することができるのです。

また本文でも述べたように、百％を求めてはいけません。多くを求めるほど、多くの不満を抱くことになります。

また自分の能力も、年とともに衰えていることを自覚する必要があります。ことに自分の能力に自信をもっている人は、この点にとくに注意が必要です。自分では若い頃と同じ能力があると思っていても、芸術の分野を除いては、間違いなく能力は衰えています。

ですから私は六十歳になったとき、人生は八〇％と決めました。自分にも他人にも八〇％しか求めない。いわば百の荷物を八十に減らしたようなもので、そうすることによって自分自身が楽になるのです。そして今では、人生六〇％です。自分にも甘く、他人にも甘くなっています。この年になれば、それでいいのです。

こうして、私がある種開き直れるところは、本文でも述べたように旧ソ連の空港で乗るべき飛行機が来なくても動じず、謡いをうなっていた母の血を受け継いでいるのかもしれません。この年になって私はつくづく、母のように開き直ることの大切さを感じています。

あなたも、何ごとにつけても「まあ、どうにかなるさ」と、開き直ってください。そうすればこれからの人生はもっと愉しくなります。

昨日とは違う今日を生きる。

毎日を笑顔で、少しでも愉しく生きる。

欲張らず、人生は八〇（六〇）％でよしとする。

この三つを実践するだけで、これからの人生は、今までと違ってくるはずです。いつまでも若々しく、健康で生きるためにも、チャレンジしてみてはいかがでしょうか。

（この作品『いくつになっても「好かれる人」の理由』は、二〇〇一年五月、清流出版から四六判として刊行された『一笑一若　一怒一老』を改題したものです）

一〇〇字書評

切り取り線

購買動機（新聞、雑誌名を記入するか、あるいは○をつけてください）

- □（　　　　　　　　　　　　）の広告を見て
- □（　　　　　　　　　　　　）の書評を見て
- □ 知人のすすめで
- □ タイトルに惹かれて
- □ カバーがよかったから
- □ 内容が面白そうだから
- □ 好きな作家だから
- □ 好きな分野の本だから

●最近、最も感銘を受けた作品名をお書きください

●あなたのお好きな作家名をお書きください

●その他、ご要望がありましたらお書きください

住所	〒				
氏名		職業		年齢	
新刊情報等のパソコンメール配信を 希望する・しない	Eメール	※携帯には配信できません			

あなたにお願い

この本の感想を、編集部までお寄せいただけたらありがたく存じます。今後の企画の参考にさせていただきます。Eメールでも結構です。

いただいた「一〇〇字書評」は、新聞・雑誌等に紹介させていただくことがあります。その場合はお礼として特製図書カードを差し上げます。

前ページの原稿用紙に書評をお書きの上、切り取り、左記までお送り下さい。宛先の住所は不要です。

なお、ご記入いただいたお名前、ご住所等は、書評紹介の事前了解、謝礼のお届けのためだけに利用し、そのほかの目的のために利用することはありません。

〒一〇一－八七〇一
祥伝社黄金文庫編集長　岡部康彦
☎〇三（三二六五）二〇八四
ohgon@shodensha.co.jp

祥伝社ホームページの「ブックレビュー」からも、書けるようになりました。
http://www.shodensha.co.jp/bookreview/

祥伝社黄金文庫

いくつになっても「好《す》かれる人《ひと》」の理由《りゆう》

平成17年4月20日　初版第1刷発行
平成28年5月25日　　　第3刷発行

著　者　斎藤茂太《さいとうしげた》

発行者　辻 浩明

発行所　祥伝社《しょうでんしゃ》

〒101－8701
東京都千代田区神田神保町3－3
電話　03（3265）2084（編集部）
電話　03（3265）2081（販売部）
電話　03（3265）3622（業務部）
http://www.shodensha.co.jp/

印刷所　堀内印刷

製本所　ナショナル製本